JN086371

韓国文学セレクション

ギター・ブギー・シャッフル

イ・ジン
岡 裕美 訳

新泉社

기타 부기 셔플
이진

Guitar Boogie Shuffle
by LEE Jinn

This Japanese edition is published by arrangement with
Yonhap News Agency, Seoul and K-Book Shinkokai (CUON Inc.), Tokyo.

This book is published with the support of
The Literature Translation Institute of Korea (LTI Korea).

Original jacket design: HONG Eunjoo and KIM Hyungjae
Japanese edition design: MARUYAMA Ami

Guitar Boogie Shuffle

Table of contents

◉装画——ホン・ウンジュ＆キム・ヒョンジェ（홍은주，김형재）
◉装幀——丸山有美

日本の読者のみなさんへ

　今年三十七歳になる私は、なぜかいまだに「若手作家」というカテゴリーで括られることがあります。一九九〇年代にソウルで十代を過ごした私は、日本文化に対する厳しい「輸入禁止」と続いて訪れた「解禁」という相反する単語が共存する、少々スペクタクルな思い出を持っています。現在の基準では「学業不適応児」だった私にとってなによりも大きな救いになったのは、輸入は禁止されていたものの実は韓国の多くの若者が大っぴらに楽しんでいた日本のロックとポップス、漫画とゲームでした。一九八〇年代生まれでまだ「若手」の私が、一九六〇年代にソウルでロックンロールを楽しんでいた人々に関する物語を書けたのは、十代の頃の経験の賜物ともいえます。今は韓国で日本の作品を堂々とたやすく鑑賞することができます。時代が変わったおかげで、私の作品も日本に紹介できるようになりました。一九九〇年代のある日に戻り、雑誌「FOOL'S MATE」や「GiGS」を広げてわけのわからない日本語を想像力だけで解読しようと苦労する女子高生に、こんな日がくると声をかけたらどんな表情を浮かべるか気になります。

この本は私の最初の翻訳版です。素晴らしい日本語原稿を作ってくださった翻訳家の岡裕美さん、ありがとうございます。この本が日本で出版されるまでに注いでくださった労力と友情を忘れることはできないでしょう。韓国文学翻訳院の担当者のみなさん、新泉社の安喜健人さん、そしてこの本をめぐり人と人をつないでくださった中川慶太さんに感謝の言葉をお伝えします。三百ページに満たない一冊の本から、こんなにありがたいご縁が生まれました。

作品を愛し、広めたいという心だけで外国語を学び、ためらうことなく国境を越える人々、私を作家にしてくれた日韓両国の人々にこの本を贈ります。ありがとうございました。

二〇一九年、クリスマスのソウルにて

イ・ジン

1. 想い出はかくの如し

Memories are made of this

Dean Martin "Memories are Made of This"

砲弾の音が聞こえてきたとき、俺はジャズに耳を傾けていた。

その年、ソウルの夏は例年より早く訪れた。日毎に降る夕立ちで水かさの増した川と下水には、たちの悪い蚊がわいた。毎晩寝入りばなにぐずる俺のために、母さんは夜更けまで頭の横に座り、俺が眠るまで大きなうちわで扇いでくれた。パリッと糊をきかせた麻の夏掛け布団をかぶって寝返りを打ちながら、蚊に食われたところを指して駄々をこねると、母さんはうちわを置いて俺がもういいと言うまで搔いてくれた。父さんは蚊帳を吊るした。寝室の入り口の柱に釘を打って長く垂らした蚊帳は、向かい風をはらんで湿った空気を切り、パタパタと心地良い音を立てた。

俺は耳がよかった。夏には音が湿気を含んでさまざまに形を変え、俺の敏感な耳をくすぐった。大きな雨粒が甕のふたに当たる音、田んぼで蛙が鳴く声、母さんの押し殺した咳、女中や賄い婦のかん高い笑い声、塀の向こうで走りまわる子どもたちの歓声が、俺の日常を安らかに取り囲んだ。

その砲弾の音もまた、特別ではない夏の音の一つだった。〔第二次世界大戦〕終戦以降、三十八度線での銃撃戦はたびたび発生し、ソウルの人にとってはすっかり日常になっていた。だが、太平洋戦争を経験した父さんは内心複雑な気分だったようだ。父さんは、母さんが砲弾の音に不安そうな様子を見せると叱りつけ、俺が大砲、パン、パン、と砲弾の音を真似ると、げんこつを食らわせる代わりにレコードをかけてくれた。ニューオーリンズジャズの賑やかな音色は、砲弾の音を薄めるのに効果的だった。

俺が住んでいた家は、ソウルの南端にある和洋折衷式の家屋だった。日帝時代〔日本統治期〕に満州国の首都・新京(しんきょう)〔現中国吉林省の長春〕で大きな製粉工場を経営していた父さんは、とてつもない金持ちだった。父さんは自分の城を最新式のお宝で埋め尽くした。広い西洋式庭園には杏(あんず)の木とバラの蔓(つる)が伸び、人工池には腕の太さほどもある鑑賞用の鯉(こい)が泳いでいた。清の時代の陶磁器と螺鈿(らでん)の箪笥(たんす)、展覧会で入選した画家の油絵の額にトランジスタラジオ、オーク材のテーブル、三越の赤いマークが刻まれた籐(とう)のソファー。広い邸宅を埋めたものの中でも、一番の宝物は日本製のビクターの蓄音機とアメリカ製のグラモフォンのレコード盤だった。

毎朝、蓄音機とレコード盤のほこりを手ぬぐいで拭き、磨き上げることが父さんの一日を始める儀式だった。日帝から鬼畜米英の音楽だと禁止されたレコードを、父さんは新京の闇市場で高値で買い込んだ。解放〔日本の敗戦に伴う朝鮮植民地統治の終結〕を迎えた父さんは、満州から咸興(ハムフン)〔現北朝鮮の咸鏡南道の都市〕へ帰るときにレコード盤を全部背負って持ち帰った。翌年、咸興からソウルに移ってきたときも、一枚残らず引っ越し荷物に入れてきたのだ。フルトヴェングラーのベートーベン交響楽、アルトゥル・シュナーベルとユーディ・メニューインのメンデルスゾーン、ベニー・グッドマンとデューク・エリントン、そしてグレン・ミラー。幼い俺はアルファベットも知らないまま、父さんにつられて彼らの名前を覚えた。

俺の家でレコード盤に次ぐ宝物は、バイオリンだった。西洋音楽にかぎりない畏敬の念を抱いていた父さんは、俺が蓄音機から流れるメロディをその場で覚えて口ずさむと、息子には音楽の才能があると早合点した。そして俺が小学校に入学するやいなや、東京音楽学校出身の家庭教師を招いて個人授業を受けさせた。だが父さんの期待に反して、俺に天賦の才はなかった。しかも、バイオリンは西洋の楽器の中でもかなり扱いにくい代物だった。俺はともすれば授業をサボって逃げ出しては先生に捕まり、こってり油を絞られた。壁にかかとをつけて立ち、両手を前に伸ばして肩の高さまで上げると、先生は固くしなる棒を容赦なく打ち下ろした。合わせた手の甲が少しでも下がると、すかさずもう一発打たれた。なんとかソナタを数曲覚えて弾けるようになった頃、あざだらけになった俺の手の甲を見た母さんによってバイオリンの授業に終止符が打たれた。その後は独学で練習したが、先生について習うのとは比べものにならなかった。

父さんはユーディ・メニューインのような音楽の神童を育てるという壮大な夢はあきらめたものの、ときどき俺を呼んではバイオリンを弾かせた。俺が弾く調子っぱずれの音色を聴くのは骨が折れたことだろう。しばらくすると父さんは騒音を聴かされる苦行を投げ出し、本来の趣味に立ち返って巨匠のレコードで耳を慰めた。俺にしても、父さんと一緒にレコードを聴く方がバイオリンを弾くよりずっと楽しかった。クラシックの交響楽もよかったが、つい聴きたくなるのは歌詞のある曲だった。

イッツ・オンリー・ア・ペーパー・ムーン。父さんは帳簿をつけるのに追われながらも、流れる歌声に足でリズムを取りながら口ずさんだ。

「ヒョン、この歌の歌手は黒人だよ。黒人たちは音楽を**ジャース**と呼ぶんだ」

父さんは俺に、〈イッツ・オンリー・ア・ペーパー・ムーン〉を歌う黒人歌手の名前を教えてくれた。ジャース、ナット・キング・コール。味蕾（みらい）〔舌乳頭中に多数ある味覚受容器〕から血管に乗って体中に広がっていく、洋菓子の脂っこいバターの味に似た滑らかなそのリズム。異国的な名前の旋律は、幼い俺の脳裏に永遠に刻み込まれた。

俺が覚えているのは例えばこんなことだ。ビクターの蓄音機とナット・キング・コール、フルトヴェングラーとバイオリン、バター菓子と紅茶、家の中を埋め尽くす宝物、至近距離で炸裂する砲火を異国の旋律で覆い隠し目をそらす愚かな平和、明日の心配は明日に追いやり安らかに眠る夜。無条件の愛と信頼――もはや誰も信じないもの。俺自身も、もう信じられないもの。現在と過去の、完全なる断絶。

俺だけではなくこの都市のすべてが、朝鮮戦争が勃発した一九五〇年を基点に過去と決別しなければならなかった。一九五〇年、夏。戦争はとぼけた顔でやってきてこの巨大な都市を丸ごと呑み込み、骨だけにして吐き出した。のんきにバイオリンを弾いていた幼い俺も、骨だけが残った〔朝鮮戦争は、韓国では韓国戦争、北朝鮮では祖国解放戦争と呼ばれる。一九五〇年六月に勃発し、朝鮮半島全土に甚大な被害をもたらした末、一九五三年七月に休戦協定が結ばれて南北分断が固定化した〕。

ドアの前には、乱雑に脱ぎ捨てられた靴が散らばっていた。一人で暮らすにも窮屈な小部屋は、ジグザグに横たわる六人の若者の体で満員御礼だ。足の踏み場もない避難船のような状況だが、集団を収容することを目的とする閉鎖空間が決まってそうであるように、そこには厳格な序列があった。

一番下っ端の俺は、敷居の前で靴を脱ぐ前にまず、先輩たちに「失礼します」と形ばかりの挨拶をした後、狭いすき間をかき分けて入り、気をつけの姿勢で横になって棺桶に入れられた死体の姿勢を取る。俺の枕元にはひどいにおいを放つ誰かの足の裏があり、誰かが俺の足の裏に頬をつけたまま盛大にいびきをかいている。寝転がった奴の上に横たわり、その上にまた重なり、人というより荷物が崩れたようなありさまだ。狭い空間での一日十三時間以上の重労働に疲労困憊した肉体は、一瞬で深い眠りに落ちる。

部屋中に響くいびきと寝言の中で最小限の空間に手足を並べると、伸ばした右足の親指の先に反対側の壁が当たる。ペラペラの合板の壁を通じて、地響きのような振動が伝わってきた。鋼鉄の臼を回すモーターの音は、深夜まで俺の聴覚を刺激した。大したことはない。俺はすぐに眠る気はないから。

俺の休息の儀式は、布団を頭までかぶることから始まる。布団をテントにしてうつ伏せのまま枕元に手を伸ばし、鉱石ラジオの豆粒ほどのレシーバーを片耳に差し込んだ。みんなが寝静まった真夜中には、このタコ部屋に住む同居人との共有財産を俺がひとり占めした。木綿糸のように細い銅線を伝って流れる微かな電波信号は、赤ん坊の小指ほどのゲルマニウムダイオードを経てコンデンサーで整えられ、ようやくチャビー・チェッカーの渋い声になって俺の耳に流れ込んでくる。ラジオの周波数はいつも同じチャンネルに合わせられていた。A・F・K・N——American Forces Korea Network.

AFKNは一九五〇年に国連軍がソウルを奪還してから〔同年六月末に首都ソウルは朝鮮人民軍に占領されて陥落するが、九月末に国連軍が一旦奪還。しかし翌年一月に再占領される〕、朝鮮半島で最も強い電波を発信した。アメリカ合衆国国防総省は本土で最も人気のあるラジオ番組を厳選し、世界二十か所の米軍駐屯地で同時放送した。大気中と宇宙に飛ぶラジオの電波は人種や国籍を差別しなかったから、駐屯地の住民もアメリカの最新文化の洗礼を惜しみなく享受することができた。ラジオ放送の華はなんといっても流行の大衆音楽、いわゆるポップスだった。

軽快なツイストのリズムに合わせ、チャビー・チェッカーが肉付きのよい尻を左右に振ってごきげんに歌う。ツイストの王様、チャビー・チェッカーは俺が知るかぎり最も神に近い人物だ。いびきも、鼻を突き刺すような足のにおいも、ごきげんなドラムとサックスに追いやられてはるか遠くへ消え去った。一晩中ラジオを聴けることが、このどん底のようなタコ部屋の唯一にして最大の長所だった。俺は布団の中で、チャビー・チェッカーのように尻を振りながらリズムに乗った。戦争とともにジャズの時代は終わり、ロックンロールとツイストの時代がやってきた。

俺が住む部屋は、昌信洞（チャンシンドン）の製粉工場の中にある社員寮だった。社員寮といえば聞こえはよいが、工場の片隅を合板で仕切った空間に、あふれた社員がひしめく牛小屋のような場所だった。製粉工場は叔父のものだった。数年前まで俺はオンドル〔床下暖房〕のある快適な部屋で、いとこたちと一緒に住んでいた。その頃の工場の規模は少なく見積もっても今の三倍はあった。社員寮も三棟あり、そこで暮らす社員も十人を超え、タコ部屋というよりは寄宿舎といえる規模だった。

事の起こりは去年、朴正熙（パクチョンヒ）〔軍人出身で一九六三年から一九七九年に暗殺されるまで大統領を務め、独裁体制を敷く一方で「漢江の奇跡」と呼ばれる経済成長を推し進めた〕による五・一六軍事クーデター〔一九六一年に朴正熙少将らが起こし、政権を奪取した〕が起こるちょうど一か月前だった。昌信洞で大火事が発生したのだ。数百の家屋を呑み込んだ火の手によって、叔父の工場の建物二棟のうち一棟が全焼した。一晩で屋台骨が傾くと、叔母は俺といとこたちが住んでいた部屋を賃貸に出し、俺は家から弾（はじ）かれるように追い出された。行き場のなくなった俺を、叔父は今のタコ部屋に住まわせた。俺を住まわせるために、そこに長年住んでいた社員を一人クビにしたという重苦しい言葉とともに。その日から俺は、俺のせいで追い出された社員の分まで工場で働かなくてはならなかった。工場が傾いてからは、俺の分の飯を三つ下のいとこの半分しかよそってくれない叔母のいじめにも屈せず、がむしゃらに働いた。

俺は数え年で二十歳になる。今年は一九六二年だから、叔父に世話になった月日もいつしか十年になろうとしていた。居候として暮らした期間が人生の半分近くになるのだから、肩身の狭い思いをして食べた飯で腹も膨れるほどだった。

「ヒョン、おまえソウルに行ったら昌信洞のおじさんを訪ねなさい。おじさんの工場は父さんが建ててやったの、知ってるでしょう。父さんが面倒見てやらなきゃ、あの人なんてまともな暮らしもできなかったのよ。とにかくおじさんが助けてくれるはずよ。家に行ったら何よりも礼儀正しくしなさい。朝起きたらおじさんのご機嫌うかがいして、手伝いもちゃんとして、学校の勉強を一所懸命しなさいね。しっかり勉強して、いとこたちの勉強も見てやらなきゃ」

戦争真っただ中の十年前、疎開先の釜山（プサン）で俺をソウルの叔父の家にやることを決心した母さんは、一晩中、俺に何度も何度も言い聞かせた。夜中に小便がしたくなって便所に行くときも、主人の家の子に出くわすかと抜き足差し足で歩く居候の卑屈な習性は、疎開先を転々とする間に骨の髄まで染み込んでいた。それでも母さんは、俺を乗せたソウル行きの汽車が出発する瞬間まで心配し続けた。そうして一人息子を手放した母さんは、疎開先でひとり寂しく亡くなった。戦争の間中、母さんを苦しめた肺病のせいだった。

母さんの肺病、そのいまいましい病気は父さんがいなくなってから急激に悪化した。戦争が始まって二日目、父さんは新京時代に知り合ったある国会議員を通じて、李承晩（イスンマン）大統領〔一九四八年に大韓民国樹立を宣言した初代大統領。親米的な反共独裁政治を敷いたが、一九六〇年の民衆蜂起「四月革命」で失脚し、ハワイに亡命〕が録音放送を流しているすきにいち早く逃げ出したという話を伝え聞いた。その日の晩、俺たち家族は急いで南へと避難した。異国の開拓地で富を築いた父さんは、情報と人脈を命より大切にしていた。その情報力で構築してきた「後ろ盾」のおかげで、俺たちの避難生活の始まりはのんきなものだった。父さんはソウルに残してきた工場が心配で毎晩眠れずにいたが、ついに工場の様子を見てくると言って一人でソウルに行き、その途中で連絡が途絶えた。

父さんが出発した日のことは忘れられない。母さんが必死に引きとめたせいで、父さんのソウル行きは出発予定日から三日も遅れた。父さんは何があっても上京するつもりだった。工場が爆撃を受けて更地になったとしても、その廃墟を見届けなければ納得できないと言うのだった。貴重品を入れた腹巻きだけを身につけて疎開先の家を出る父さんを力ずくで止めた母さんは、綺麗に結い上げた髪からかんざしを抜いて父さんの足元に投げると、胸を掻きむしりながら部屋の中をゴロゴロと転げまわった。

「私を殺してから行ってください。見知らぬ土地で知り合い一人いない私が、あなたなしでどうやって子どもを育てていけばいいの?」

「工場だけ見たら、すぐに戻ると言ってるじゃないか」

「無事に戻る保証がどこにあるの?」

「ソウルも復興したんだ。住民票、渡江証明書、避難証明書、全部揃ってるのに何が問題なんだ?」

母さんはボサボサの髪のまま、血を吐くようにわめいた。

「ヨンシクの父さんを見なさいよ! あそこだって証明書も後ろ盾も全部あったのに犬死にしたじゃないの。容共分子だと……」

容共分子という言葉に父さんは真っ青な顔になり、普段はほとんど使わない故郷の言葉で声を張り上げた。

「あいつは運悪うアカ狩りにひっかかって死んでしもうたんや。俺をそんなに殺したいのか！」

母さんと俺を捨て、父さんはついに一人でソウルに向かった。そうして父さんとはそれっきり連絡が途絶えた。突っ伏して号泣する母さんにつられて俺も泣いた。その年、まだ二十七歳だった母さん。船主の家の一人娘として育ち、裕福な事業家の正妻として苦労知らずの人生を送ってきた人だった。戦争のさなかに遠く離れた南の地で、夫を亡くして幼い子どもと二人きりで暮らすのは、想像しうる最悪の悪夢よりもさらに辛いものだった。

天の助けか、実家の家族が興南港〔咸興市〕から木造船に乗って釜山まで逃げてきたという知らせが届き、母さんはすぐに俺を連れて叔父の家へ向かった。故郷ではイカ釣り漁船を操業して何不自由ない暮らしをしていた叔父は、避難の際の苦労と、避難民をさげすむ地元民の冷たい態度に苦しめられ、とうの昔に家を出た姉に対して冷たく当たった。それでも、六人の子どもが重なり合って寝る小部屋の片隅にでも住処を与えてくれたことに感謝するばかりだった。

戦争中とはいえ、一人息子に学をつけなければならないという義務感から、母さんは紐に通して腰に結びつけた指輪と宝飾品をほどいて市場に向かった。全国からやってきた避難民らで、釜山の物価は天井知らずに跳ね上がった。インフレは、父さんが残してくれた財産を一瞬で呑み込んだ。俺が学校で教科書を読む間、母さんは国際市場で米軍の放出品を安値で売りさばき、さらに安値で仕入れて転売した。他の疎開先の戦争未亡人と同じように、母さんはいち早く戦争に順応した。だが、その肉体は精神の変化についていけなかった。母さんは同じ部屋で眠る甥や姪たちを起こさないように、布団に顔をうずめたまま込み上げる咳を抑えていた。

俺の上に兄がいたということは、母さんが亡くなってからずっと後に叔父から聞いて知った。長男が生まれた喜びもつかの間、兄は生まれて四か月ではしかにかかって死に、その後何年も母さんは子どもに恵まれなかった。ようやく授かった子が俺だったから、そこらの長孫（ちょうそん）とは比べものにならないほど尊い息子だったのだ。

母さんはなんとしても俺をソウルに行かせるつもりだった。今もそうだが、とくに俺の母さんと父さんにとってソウルは特別な都市だった。終戦時に新京から戻った父さんは、ソウルで人生の第二幕を計画していた。新京で得たノウハウと人脈で、父さんのソウルの工場はすぐに繁盛した。終戦の翌年、北朝鮮では土地改革の風が吹き荒れ、地主だった咸興の実家の家族はほうほうの体でソウルに逃げてきた。母さんの親戚が南に逃げてこられたのは、一から十まで父さんのおかげだった。

もしかしたらソウルのどこかで父さんが生きているかもしれない、というあきらめきれない気持ちからだったのか、あるいは目前に迫った自らの死に気づいていたからだろうか。母さんは最後まで大切にしていたなけなしの宝飾品を、ソウルから持ってきたときと同じように俺の腰につけた紐にぐるぐる巻きにしてソウルに送り出し、それから間もなく故郷から遠く離れた地の果て、釜山で寂しく生涯を終えた。

疎開生活から二年ぶりにソウルに戻った俺は、居候という形で新たな人生を歩みだした。叔母は俺が疎開していた頃、自分の血筋ではないという理由から同じように孤児になった甥や姪の面倒を見てくれなかった叔父を恨んでいたせいで、俺のことを憎んだ。叔母の思いはいとこたちにもそのまま受け継がれた。沈黙という庇護の下、激しいいじめが続いた。

家の中でただ一人、女中のマルスン姉さんだけが俺をいじめなかった。工場がうまくまわっていた頃、叔父の家にはしばしばアメリカの菓子やキャンディなどが流れてきたが、俺にまで特別なおやつの順番がまわってくることはほとんどなかった。彼女は叔母が菓子を隠しておいた粉ミルクの缶からキャンディやチョコレートを盗み食いし、気が向くと俺にも少し分けてくれた。居候同士の連帯感は後ろめたいものだった。マルスン姉さんは俺が小学校を卒業する前に遠くへ嫁に行ってしまい、その後に来たミラン姉さんは俺に少しも同情してくれなかったが、姉さんを恨みはしなかった。戦争中には俺のような境遇であれば幸せなほうだった。路上で物乞いをしたり、孤児院に入れられたりせずに学校に通えるだけでも羨(うらや)ましがられた。

夜が明けると、ラジオの音が次第に雑音混じりになった。外に出てアンテナの位置を変えようかと思ったが、眠気に負けてあきらめた。今日は週に一度の休日だから、好きなだけ眠ることができた。午前十一時頃にようやく起きて顔を洗い、工場の外に這い出した。貴重な休日を部屋に閉じこもって過ごすには惜しい。三々五々起きだした社員たちは、腹を満たしに近所の食堂や居酒屋に行った。俺は食堂の代わりに電停に向かった。

　天気のよい休日に市内に向かう路面電車は人であふれていた。昼食を食べ終えて電車に乗り込んだ人々の口と汗腺（かんせん）からは、キムチと塩辛と味噌が混じり合ったにおいがした。昨日の夜から何も食べていない俺の胃が暴れ出した。電車が東大門（トンデムン）を通過する頃には、腹の虫が雷鳴のようにとどろいた。クッパ一杯を食べる程度のカネはあるが、俺は昨日から今日の昼飯を抜くことを決めていた。俺には昼飯を我慢してでも行くべき場所があった。

　鍾路（チョンノ）に到着した電車は、乗客の大部分を吐き出した。悪態をつきながら降りた男たちはジャケットや上着のほこりを払い、女たちは乱れた髪を稲妻のように素早く撫（な）でつけた。襟元を整えた人々は、背筋を伸ばして空気を吸い込み、都心のエネルギーを充電した。いつもは猫背の俺も、肩をいからせて歩きだした。

　いくらも歩かないうちに手足のない傷痍（しょうい）軍人が俺の前を塞（ふさ）いだ。切断された手の代わりをする鉄の鉤（かぎ）には、真っ黒に汚れた戦闘食の空き缶が引っかかっていた。男が鉄の鉤を振ると、缶の中で数枚しかない硬貨がぶつかって情けない音を立てた。知らんぷりをして避けると、男は俺の背後から歩いてきた女子大生を捕まえてもう一度缶を振った。スーツに中折れ帽をかぶった紳士と絹の韓服にハンドバッグを下げた婦人と警察官と行き倒れの病人と靴磨きと新聞売りと荷物運びとチンピラと学生が、一斉にアスファルトの上に混沌の軌跡を描いた。

人波にまぎれて鍾路二街の方に歩きながら、俺は習慣のように通り沿いの建物を見上げた。市内に遊びに出るたびに俺の視線を引きつける音楽教室のほとんどは、店舗や食堂に変わった。去年の今頃まで鍾路と乙支路に立ち並んでいた私設学校の半分以上が潰れた。朴正煕少将が率いる五月軍事革命政府は、腐敗した教育機関を整備するとの名分で私設学校の閉鎖を命令した。どのみち授業料を払うカネもなかったが、見るたびに胸を躍らせた音楽教室の看板が一挙に消えるとなると寂しかった。

向こうから鋭い笛の音が響いた。軍人が歩道に立って通行人を統制していた。市庁方面から若い男たちをたくさん乗せた軍用トラックが何台も列をなして走ってきた。最初はどこかに訓練に行く軍人かと思ったが、よく見ると軍服に似せた服をあつらえて着ているのだった。トラックに乗った男たちは額に白いはちまきを巻き、「再建開拓団」と書かれたプラカードの下で拳を振り上げてスローガンを叫んだ。

「廃品再生、自立更生！」

俺の横で、中年の会社員らが鷹揚に言葉を交わした。

「これからはくず拾いを国に登録させて管理するらしいよ」

「いいことだ。道であいつらを見かけることがなくなりそうだな」

更生と自立、再生と再建、人間の改造。軍事革命の明確なスローガンに合わせて、ソウルは傷を舐めながらも肉を少しずつ引きちぎられていた。全国各地から裸一貫で上京した人々は、くず拾いや荷物運びや靴磨きや行き倒れになってソウルの人口を膨れ上がらせた。彼らはみんな更生と自立を夢見てソウルに来たのだろう。再建の都市、生き残り、生きていこうとするすべての人が一つに混じり合って沸き上がるソウル。昨日まではくず拾いだった再建開拓団を乗せたトラックの行列が黒いほこりを立てながら光化門（クァンファムン）の方に消えると、見物人はすぐに目的地に向かって歩きだした。俺も気を取り直して歩を進めた。

飲み屋に食堂にとあらゆる店が立ち並ぶ貫鉄洞（クァンチョルドン）、普信閣（ポシンガク）の裏通りに入ると、大通りとは違った混沌の世界が広がった。そこには若者しかいなかった。裏通りは、若者たちが休みなく吐き出すタバコの煙と悪態と歌と活気であふれていた。さらに奥に進むと、茶房（タバン）が密集した区域に出た。健全な青年なら決して足を踏み入れてはならない場所。その秘密めいた通りに、俺の目的地があった。

音楽茶房「ニューワールド」。俺は一息（ひといき）に階段を駆け上がった。ドアを押し開けると、立ち込めるタバコの煙を縫ってディー・ディー・シャープの朗らかな歌声が俺を迎えた。入るやいなや、入口に立った若いボーイがぐいっと手を差し出した。俺は即座にズボンのポケットから二十ファン〔一九五三年から一九六二年まで使用された通貨単位。漢字表記は「圜」〕を出し、手に握らせた。昼飯を抜いて作ったカネだ。二十ファンで、ジュース一杯と交換できる引換券が戻ってきた。俺は適当に目についた空席に座った。出てきたジュースには手をつけなかった。腹が空きすぎてキリキリと痛んだが、ここでできるだけ長く居座るには、ジュースも大事に飲まなければならなかった。女たちの中には、弁当を持ってきて閉店まで粘るつわものもいた。俺は気だるげに椅子にもたれて音楽に耳を傾けた。

多くの若者がジュースのコップを前に置いて音楽に夢中になっていた。仲間同士で座っておしゃべりしたり、討論する者も多かった。ニューワールドのＤＪ(ディスクジョッキー)は、ビルボードの最新シングルチャートに入った曲を流してくれる、とポップス愛好家の間で大変な人気だった。エルヴィス・プレスリーやロイ・オービソン、コニー・フランシス、チャビー・チェッカーの最新曲はすでにＡＦＫＮを通して耳にタコができるほど聴いていた。けれどもレコード盤のダイナミックなサウンドは、片耳のレシーバーで増幅させて聴く微弱なラジオの音とは質的に違っていた。

その名のとおり、そこは新世界(ニューワールド)だった。年がら年中ジャズとロックンロールが流れる場所。誰もがジャズとポップスとアメリカの話しかしない場所。戦争で切り離された過去と現在のように、ドア一枚を隔てて外の現実と切り離された空間。音楽茶房を訪れる若者たちは、不良な外国文化に汚染され、堕落した青春を過ごしていた。

俺もまた堕落しきった青春時代を過ごした。一所懸命勉強していとこたちに教えてやれという、母さんの遺言ともいえる願いはとっくに水泡に帰していた。夜間高校もサボってばかりで、結局中退した。俺に全日制高校の入学資格がなかったわけではない。中学まではクラスで三番以内に入っていた優等生だった。成績がいいのにあえて夜間高校に願書を出したのは、学費が安いこともあったが、何よりも昼間に叔父の工場の仕事を手伝うためだった。勉強して出世し、恩返ししろという母さんの言葉は、思い返せばなんとも世間知らずな考えだった。この貧困の時代に、誰が居候のお荷物に勉強などさせるだろうか?

俺は高校生でもなく、工場の社員でもないまま二十歳を迎えた。俺のように戦争で人生が台無しになり、大海を塵のように漂う国民に対し、軍事革命政府が示した目標は効果的だった。自立と更生。再生と再建。俺もまた更生と自立を切実に願った。うんざりする居候生活から抜け出して独立したかった。俺の人生の唯一の目標は自立することだった。だが、その目標を実現する方法はわからなかった。

夕暮れ時までニューワールドで粘って帰ってきた俺は、久しぶりに叔父の家に顔を出した。叔母はこれまで、俺に飯を食っていけという言葉の一つもかけたことがなかった。同じ家に住んでいた頃には食事時になればいとこにくっついて食卓に座ることができたが、タコ部屋に追い出されてからはそれもできなくなった。叔父一家が食事を終えた後、女中が洗濯に出たすきに、コソ泥のように台所に忍び入り、冷や飯でも食べるのが常だった。それにもかかわらず食事時間に堂々と顔を出したのは、腹が減って死にそうだったからだ。この二日間で口にしたものといえば、茶房で出てきた薄いジュース一杯だけだった。

「ヒョン、今頃帰ったのか」

箸を止めて俺を見る叔父の表情は、招かざる客に対するそれだった。飢えは羞恥心すらも麻痺させた。俺は冷たい視線を投げるいとこの間に割り込んで座り、俺の分の箸を素早く受け取った。食卓にはタイミングよく久々の魚料理が並んでいた。いとこたちの猛烈な箸使いに、いくらも身のない痩せたサバは一瞬で骨だけになった。叔母は大根のキムチで米をむさぼり食う俺を白目をむいて見ると、聞こえよがしに叔父に訴えた。

「今月も家計が苦しいわ。米の値段は天井知らずだし、学校からは保護者会費だなんだってお金を巻き上げられるし、毎日子どもたちの弁当を作るのも大変なんだから」

文句が始まりそうになると、叔父は咳払いをして床に広げた新聞に目を落とした。叔母の訴えのレパートリーは決まって同じだった。居候で目の上のたんこぶの俺は、金持ちだったこの家をめちゃくちゃにした元凶扱いを受けるのが日常だった。

「ヒョン、おまえ、春川〔江原道の道庁所在地〕から来たおばさんのところのソクを知ってる？　全校一位の子よ」

叔母がだしぬけに俺に尋ねた。

「今日市場でおばさんに会ったんだけど、あの子、最近家庭教師をやってるって。警察署長の家だから授業料もたくさん貰えるそうよ」

春川から来たおばさんとは？　ソクって誰だ？　どうやら高校に通っているいとこの同級生のようだった。俺は高校をとっくの昔にやめたのに。叔母は俺の私生活にこれっぽっちも興味がなかった。この十年間同じ屋根の下で暮らしている間、宿題をきちんとやったのか、試験の点数は何点だったのかと聞かれたこともなかった。

「他人の子どもとはいえ、どれだけ感心なことか。小さな子が家計を助けるなんて、なんて偉い子なのかしら」

他人の子どもという言葉が改めて胸をえぐった。考えてみれば、俺が工場で働いているのも家計の足しになっているではないか？　しかし、最初からお荷物扱いの俺にそんな寛大な視線が注がれるはずもなかった。

「そういえば最近調子はどうだ？」

結局、叔父が割って入った。俺の近況が気になってというより、しつこい叔母に辟易（へきえき）して仕方なく尋ねただけだった。俺が答える前に、いとこが口からご飯粒を飛ばしながら言葉を引き継いだ。

「ヒョン兄さんは茶房（タバン）通いに忙しいんだ」

「そうそう、兄さんはヤンキーのラジオを聴いてヤンキー茶房に行くのが仕事だろ？」

飯が喉（のど）に詰まった。俺がニューワールドに出入りしていることを、こいつらがどうして知っているのか？　とはいえ、知らない方がおかしい。俺の口に米一粒余計に入っても見逃さない奴らだ。告げ口を聞いた叔母の顔は、赤くなったり青くなったりと今にも倒れそうだった。茶碗に冷たい水を注ぎ、五臓六腑から突き上げる炎をなんとか鎮火した叔母は、拳でみぞおちをドンドン叩きながら嫌味を言った。

「茶房ですって？　結構なご身分だこと」

俺は茶碗を放り投げて部屋を出た。大人が話しているのに出て行くなんて礼儀知らずだという文句は聞こえなかった。代わりに、開け放した窓から叔母の嘆く声が聞こえてきた。

「なんて図々しいんだろう。家が傾きかけてるのに、ヤンキー茶房に出入りしてるなんて。私がいったい前世にどんな悪行を積んだというの。恩を仇で返すとはよく言ったものだわ、まったく」

叔母の非難は実のところ正しかった。ソウルの人口のたった二割だけが仕事にありつける時代に、俺のように音楽茶房に出入りする若者などは、ごろつきの誹りを免れなかった。

父さんが生きていれば、俺にげんこつを食らわせただろうか？　父さんは誰よりも西洋音楽を愛していたが、一人息子が音楽に夢中になって勉強と仕事をなおざりにしたといえば、当然腹を立てたことだろう。母さんは一緒に叱りながらも、西洋音楽に首ったけになる性格は父さん譲りだと、それとなく俺の味方をしてくれるだろう。学生時代、叔父と叔母は一度も俺のことを叱らなかった。俺は二人の実の子ではないのだから、当然のことだった。俺は愛と気遣いの対象ではなく、叔父の財産にとっての借金であり負債でしかなかった。

「うるさいなあ。こいつはうちの社員だぞ。工場で寝起きしてるのに何が問題だ？」

「工場で寝起きしてるですって？　泥棒みたいに台所に忍び込んで盗み食いするのを大目に見てあげてるのに……」

「それがどうしたんだ！　今すぐ追い出せとでも言うのか？」

文句たらたらだった叔母の声がすっかり真剣になった。

「あなた、すぐにでも返さなきゃいけない借金が山積みなのよ。この子ももう二十歳なんだから自立してもらわないと」

「おい、食事中までカネの話か！」

茶碗が宙を飛び、続いて叔母の泣き声が聞こえた。しばらくして叔父がしかめっ面で部屋から出てきた。床の隅っこに座っていた俺は、急いで立ち上がった。俺を見る叔父の視線から、俺は本能的に血のつながった親戚に対する憐憫や同情の念を探そうとし、一歩遅れてそんな自分を軽蔑した。しかし、俺を見る叔父の視線に同情や憐憫はかけらもなかった。

「仕事はどうだ？」

「はい、なんとか」

叔父は何も言わずにタバコに火をつけた。タバコの煙と一緒に聞こえよがしに長いため息をつき、言うまでもなく部屋の中からは叔母の悲しみに満ちた泣き声が聞こえてきた。

叔父さん、叔母さん。俺も早くこの家の家計の足しになれるようにと頑張ってきました。朝七時から夕方五時まで続く工場の仕事で、夜学でも居眠りしてばかりだったけど、それでも努力してきました。副業で新聞を売ったり、大判焼きを売ったり、夏には冷たい茶も売ったけど、チンピラたちの嫌がらせでせいぜいパン代ぐらいしか稼げませんでした。それで学校をやめて工場の仕事を頑張りました。工場の給料だって、これまでにかかった学費の分を抜いて一般の社員の半分のさらに半分しか貰ってないじゃないですか。

長い言い訳が口をついた。俺の頭の中だけで。タバコを吸い終わった叔父は、意味深長な独り言を残して外に出た。

「食っていくってのは、まったく薄汚れたことだよ」

そうしてみると、自分自身が耐えられないほどの汚物のように感じられた。食事を終えたいとこたちもぞろぞろと部屋から出てきて、庭にぼんやり立っている俺に向かって刺々(とげとげ)しい言葉を投げつけた。

「この恩知らずが」

「茶房通いするなんて、チンピラめ」

もう十年近くも前のことだ。ソウルに上京して居候を始めた俺に、いとこたちは先輩風を吹かせた。母さんは疎開生活のさなかでも、俺に一番いい服と靴を着せて送り出した。居候としてやってくるかわいそうな孤児を期待していたいとこにとって、俺のそんな姿は失望と怒りを呼び覚ました。釜山の疎開先の家の子どもたちのいじめは主に軽蔑と無視だったが、寝食の場を共有するいとこたちのいじめはもっと露骨で悪辣(あくらつ)だった。靴に小石を入れられ、教科書を隠され、おやつを奪われ、何より俺が耐えられなかったのは自分たちの失敗を全部俺のせいにすることだった。俺が言い訳でもしようものなら、いとこたちは必ずアカという言葉で俺の口を塞いだ。

「おまえの父ちゃんはアカだろう。おまえを捨てて金日成に会いに北に行ったんだ」

「俺の父さんがアカなら、父さんの弟のおまえらの父さんはどうなる？」

「それがどうした？　俺の父ちゃんはソウルにいるからアカじゃないだろ。アカの息子のおまえがアカじゃないか！」

腹を立てた俺がいくら正論を吐いたところで、洟たれ小僧たちとの口げんかに論理は通用しなかった。窮地に追い込まれた俺は、やけになって言ってはいけない言葉を吐いてしまった。

「おまえらの父さんの工場、俺の父さんが建ててやったの知らないだろ？　おまえらの父さんは俺の父さんがいなければ、ろくに生きられなかったってさ。みんな俺の父さんが買ってやったんだぞ」

いくら若気の至りとはいえ、俺はどうしてあんなことを言ってしまったのだろう。俺をソウルに送り出す前夜、母さんが言い聞かせた礼儀正しくしろという言葉も忘れ、よりによってそんな話だけはっきり覚えていたのだ。俺の方こそ洟たれ小僧だった。とにかく、俺の最初で最後の反撃は効果的ではあった。いとこたちは叔母に俺の恩知らずな言動をそのまま告げ口した。おそらくそのときから、叔母は俺を悪の根源だと決めつけたのだろう。身のほど知らずな子どもほど憎まれる存在もいない。結局のところ俺の境遇は、自分自身が招いたものだった。

俺は工場のタコ部屋に戻り、同僚たちの間に割り込んで座った。みぞおちに引っかかった飯は消化不良を起こし、一晩中頭痛と腹痛にのたうちまわった。二日ぶりにありついた貴重な食事はそうして俺を苦しめた。何度か吐いた後でやっと人心地がついた。食あたりが少し落ち着いてくると、ふたたびうんざりするほどの空腹がやってきた。俺は空腹を忘れようと、鉱石ラジオを引き寄せてレシーバーを耳に当てた。ＡＦＫＮではフランク・シナトラのブルースが流れていた。メロディと歌詞はもの悲しいが、誇りに満ちたシナトラの歌声からは、少しも惨めさは感じられなかった。

空腹で眠れない深夜、真水で腹を満たすと、思い出は一瞬でぼやけて輪郭線だけが残る。街の外れから餅売りの声が聞こえてきた。餅はいらんかねー。餅売りの枯れた声はビリー・ホリデイに似ていた。俺は寝転がったままで舌なめずりをした。甘くて弾力のある餅を一つだけでも食べられたらいいのに。俺はどうして貴重な二十ファンで餅を買うことを考えなかったのか。どうして食べることより音楽を優先してしまうのか。

二十歳になっても俺はまだ大人になりきれないまま、過ぎた思い出にすがっている。その思い出の中には父さんと母さん、そして音楽がある。俺は横になったまま手を上げ、空中にバイオリンの形を描いてみた。手の甲が切れるほど打たれて習ったバイオリンの弾き方は、十年経っても忘れていなかった。弓を深く押し、引き、弦を押さえる指に力を入れてビブラートをかける。レガート、スタッカート、ピチカート。まともな姿勢も取れないのに生意気にテクニックばかり使おうとすると、先生にどれほど叱られたことか。

俺の横で寝ていた先輩が、俺が振るった肘に鼻をぶつけて寝ぼけ眼で怒鳴った。俺は急いで手を太ももに当て、知らんぷりをして眠りについた。夢の中で俺は額に真っ白なはちまきを巻いてマイクの前に立ち、ロックンロールのコンサートを繰り広げていた。舞台はなぜか軍用トラックだった。トラックの上に眩いスポットライトが当たり、俺の肩からはギターの代わりに巨大なバイオリンがぶら下がっていた。俺はギターほどの大きさのバイオリンを弾きながらおかしな歌を歌った。再生自立！　再建更生！　熱唱する俺の下で、お揃いの灰色の服を着た観客らがマスゲームに動員された高校生のように一心不乱に拍手をした。

2. ある少年がいた、不思議な魔法にかかった少年が

独立の日は突然やってきた。気配も予告もなく、不意に。まるで革命のように。

工場のタコ部屋の扉の前に立った俺は言葉を失った。わずか数分前まではいつもどおりの土曜日だった。工場の仕事を終えた後、音楽茶房に寄って夜遅くに戻ると、部屋の中の風景が一変していた。七人が寝起きして散らかっていた部屋がすっからかんになっていた。残ったものといえば俺の一張羅(いっちょうら)の背広と、しばらく前の雑誌「明朗」一冊きりだった。戸口に座り込んで風呂敷包みを結んでいた先輩が、俺を見るや叫んだ。

「おまえ、こんな時間まで何してたんだよ?」

「先輩、俺たちどこに引っ越すんですか?」

我ながらとぼけた質問だった。先輩は鼻で笑った。

「引っ越しっちゃあ引っ越しだけどな。今すぐ出て行けってさ」

出て行けだって?　あきれた話だった。すぐに別の先輩が入ってきて言った。

「社長がここも賃貸に出すんだってよ」

「じゃあ俺たちどこで寝るんですか?」

先輩は工場の床にペッと唾を吐きながらこぼした。

「野宿するなりしなきゃな。今月の給料もおじゃんだし、クソみたいな身の上だよ」

俺はなりふりかまわず叔父の家に駆け込んだ。突然追い出すだなんて。叔父の一家に何か起こったのかと怖かった。息を切らせて家に入ると、叔母は部屋で布団を敷き、叔父は縁側に座ってタバコを吸っていた。何事もなさそうに見えた。

「叔父さん、何があったんですか？　出て行けだなんて……」

「こんな夜中に何の騒ぎ？」

叔母が目をむいて部屋から出てきた。俺は乾いた唇を舐めながらなんとか言葉をつないだ。

「部屋から出て行けって、どういうことですか？」

叔父は手を振って叔母を黙らせ、俺に言った。

「すまないな。工場が立ち行かないんだ。旅館の部屋でも当たってくれ」

その簡潔でぼんやりした答えが、俺が叔父から聞けたすべてだった。叔父は咳払いをしながらふところを探ると、紙幣二枚を取り出して俺に渡した。叔父の一挙手一投足を睨みつける叔母の目がつり上がったが、これが最後だと思ったのか、見なかったふりをして部屋に入った。

カネを握った俺は体の力が抜けた。旅館を探せということは、すなわち家を出て行けということだ。このカネはいわば退職金だった。俺は叔父と叔母に挨拶して昌信洞を去った。十一歳のときから十年近く住んだ家を、俺はほとんど手ぶらで出ることになった。大通りまで出てようやく、握りしめていた拳をそっと開いてみた。しわしわになった千ファン札二枚は、まるで俺の身の上のようだった。

その日の夜は、一緒に追い出された先輩たちと安宿で一夜を過ごした。翌朝、俺の分の宿代を払うとき、手がぶるぶると震えた。俺はパン屋に入って一番安いパン一つと水道水で腹を満たし、市内を歩いた。行き場も寝るところもなく、ただ通い慣れた道を放し飼いにされた犬のようにぐるぐる回った。これまで見過ごしていた存在が鮮明に目に入った。路上を幽霊のように行き来する靴磨きと新聞売りと荷物運びとガム売り、そして行き倒れと物乞いの上に、俺の未来が絶望的に重なった。

あてもなく市内をさまよった末、俺の足が止まったのはニューワールドだった。いつものように入場料二十ファンを払ったが、朝に手を震わせながら宿代を払ったときとは違い、ためらいはなかった。一寸先も見えない無職になってもヤンキー音楽を聴く贅沢(ぜいたく)に浪費する自分が情けなかったが、未来に対する恐れがいつにも増して強く俺の背中を押し、音楽へと逃げ込ませた。俺はソファーに体をうずめてデュアン・エディの胸のすく音色に耳を傾け、未来に向き合う恐怖から逃避した。しかし、それもしばらくすると空腹に征服された。腹が空きすぎて目の前がくらくらした。

「おい、久しぶりじゃないか?」

ぼんやりした意識の中で俺は目を開けた。ガリガリの体に、小麦粉の袋のように大きな米軍の革ジャンを羽織った男が俺に向かって笑いかけていた。

「誰ですか？」

「俺だよ、ウギ。忘れたのか？　水くさいじゃないか」

ようやく記憶が懐かしさとともによみがえった。俺は空腹も忘れて立ち上がり、ウギの肩を叩いた。

「久しぶりだな。元気そうじゃないか。見違えたよ」

俺の感嘆に、ミン・ウギは手で鼻水を拭いながらうれしそうに笑った。

「変わってないな、お坊ちゃま」

「何がお坊ちゃまだよ」

俺は苦笑いした。ウギは叔父の工場が火事になる直前まで一緒に働いていた社員だった。その頃はまだ俺も叔父の家に住まわせてもらっていたので、工場住み込みの社員たちとははっきりと身分の差があった。ウギは社員の中で最年少だったが、仕事が遅く、ともすると先輩たちから雷を落とされていた。往十里（ワンシムニ）〔市内（ソウル）〕の貧しい集落で七人きょうだいの長男として育ったウギは、国民学校四年生のときに勉強をあきらめ、家族を養うため働きに出た。真冬に栄養失調で黄色くなった顔で背を丸めていたウギを気の毒に思った俺は、何度か賄い婦の目を盗んで残飯を持っていってやった。

「三年前のクリスマス、覚えてないだろ？　あの日、おまえが持ってきてくれた餅がどれだけうまかったことか。カチカチで歯が折れそうだったのに、いくらでも食べられたよ。三日ぶりの食事だったからな」

「俺がそんなことしたか？」

「ああ。おまえは今も社長の家にいるんだろ？　大学に行ってるのか？」

「大学だなんて。工場のタコ部屋暮らしだよ」

ウギは目を見開いた。すぐさま俺の隣に座ると、顚末を問いただし始めた。

「なんだっておまえがタコ部屋で暮らすことになったんだよ？」

「去年の今頃、おまえが辞めてからすぐに工場が大火事になって、経営が苦しくなってさ。叔父さんの家の部屋を賃貸に出すっていうから、俺はタコ部屋に移ったんだ」

「いくらなんでも、家族を追い出すか？」

ウギは茶房の床に痰（たん）を吐きながら、自分のことのように興奮した。その部屋からも突然追い出された話まで白状したら、ウギはなんと言うだろうか。一時は俺が飯を食わせてやった仲間の前では、悲しさより恥ずかしさが先立った。

「おまえはどんな仕事をしてるんだ？」

「俺？　ＰＸ〔軍の売店〕で働いてたんだ。もう工場の仕事なんてやるもんか」

考えてみれば、ウギも俺と同じくアメリカの音楽に目がなかった。音楽だけでなく、コンビーフの缶詰から雑誌の「プレイボーイ」まで、ウギはアメリカという国を形づくるあらゆるものに熱狂した。

「そうか。ＰＸの稼ぎに比べたら工場の給料なんてはした金だよ」

ウギは鼻をすすると、意味深長な言葉を口にした。

「それがさ、俺もうＰＸには出勤してないんだ」

「そうなのか？」

ＰＸを辞めるだなんて。三十八度線の南側に米軍が駐屯した瞬間から、ＰＸといえば夢の職場だった。給料が高いこともあるが、ＰＸから放出されたアメリカ製の品物を横流しすれば高収入が得られたからだ。ウギの身なりが見違えるほどよくなったのも、間違いなくＰＸで働いたおかげだろう。そんな贅沢な職場をなんで辞めたんだ？　俺の心の内を読んだのか、ウギが解説した。

「ヤミ商売がバレてクビになったんだ。俺を目の敵にしていた奴が上にチクったのさ。自分はきれいな体なのかってんだ、あの野郎」

「それは運が悪かったな。じゃあ今はどうやって食ってるんだ？」

ウギは俺がその質問をするのを待ち望んでいたようだった。真っ黒に腐った前歯を見せてニッと笑うと、一口しか飲んでいない俺のジュースを一気に飲み干してしまった。

「おい、何するんだよ？」

目を見開く俺に、ウギは自信満々に言った。

「心配するな。これぐらい俺が奢ってやるよ」

「おまえ、いったい最近どんな仕事してるんだ？」

「ヘルパーだよ」

「ヘルパーって何だ？」

「米軍専用クラブでバンドの楽器と舞台照明を運ぶ仕事さ。給料がＰＸに負けず劣らずいいんだ。ＰＸみたいにＧＩや市場や業者なんかに気をつかったり、何かといえば泥棒呼ばわりされたりすることもないしな。体さえ動かせば終わりさ。それに、なんたって第八軍〔在韓米軍の陸軍部隊のこと。在韓米軍を指す総称としても用いられる。元は占領下の日本に駐屯していたが一九五五年に司令部がソウルの龍山に移転した〕のショーをタダで観られるのが最高だよ」

「米軍クラブ？　米軍基地の中にも入るってことか？」

「当然だろ。空軍下士官（エアマン）クラブ、将校専用（オフィサーズ）クラブまで全部行ったことあるぜ」

「笑わせるなよ。朝鮮（チョソン）の人間がそんなところに入れるわけないだろ？」

　意気揚々と話すウギの前で、俺はせせら笑いを浮かべた。龍山（ヨンサン）にある米八軍駐屯基地、キャンプ・ギャリソン〔米軍龍山基地はソウル駅からわずか一キロの市内に位置する。日本軍の駐屯地を米軍が接収したものであるため、百年以上にわたり外国軍が駐留し続けたが、二〇一七年より京畿道の平沢市への移転が進められている〕。四方にいかめしく鉄条網が張りめぐらされたその広大な敷地は、銃剣で武装した米軍憲兵と韓国人警備員が二十四時間歩哨に立つ禁断の区域だった。米軍関係者のための学校、郵便局、劇場、病院、クリーニング店、テニスコートにゴルフ場まで備えているというキャンプ・ギャリソンは、ソウルとは別世界だった。それと同時に、無断侵入者は容赦なく銃撃する恐怖の地でもあった。韓国人が米軍基地に出入りするには、正式に基地で働く職員や少なくともその家族といった特権階級である必要があった。それなのに、たかだかＰＸでボーイとして働き、それすらクビになった奴がどうやって米軍基地に出入りできるというのか？

「ショーの団員と一緒に米軍のトラックに乗って入るだけだよ」

「そんなことができるのか？」

「ああ、当然さ。俺のいる会社がどこか知ってるか？　北斗興行だぜ。聞いたことあるだろ？《ニュースターダストショー》」

俺の口元から一瞬で笑みが消えた。《ニュースターダスト》といえば、名実ともに米八軍最高のショー団だった。ブロードウェイ風のミュージカルショーはもちろん、スタンダードジャズの演奏や最新流行のポップス、ロックンロール、スタンダップコメディ、アクロバティックと呼ばれる曲芸までを含むニュースターダストショーのメンバーは、十五人のフルバンドに踊り子まで合わせると三十人以上になる大所帯だった。民間人が八軍のショーを鑑賞するのは至難の業だったが、俺のようにポップス愛好家を自任する者は、新聞の文化面や「明朗」「歌謡生活」といった雑誌を通じてショー団の情報をたやすく得ることができた。

「この俺様がニュースターダストショー団で楽器と照明を運ぶ仕事をしていらっしゃるってことさ。うちの団長はミスター・ホンっていう御仁なんだけど、気性が荒いの荒くないのって、楽器の隅っこに軽く傷でもつけてみろ、すぐにビンタが飛んでくるんだぜ。ショーガールの姉ちゃんたちは、スカートの裾にでも指一本触れようものならどこ見てるんだって悪態をつくし。あいつら、パンティ一枚でケツを振るのが仕事のくせにさ。減るもんでもないのに偉そうに」

ショー団の話をまくし立てるウギの前で、俺は魂が抜かれたようになっていた。全国各地の米軍基地とその周辺に立ち並ぶ米軍専用クラブで韓国人ショー団が公演し、大金を稼いでいることはポップス愛好家には周知の事実だったが、はなからそこは一般人には縁のない世界だった。善良な市民にとって、ヤンキーと交わることは恥だった。基地周辺の店舗や娼婦のように、米軍とビジネスをするなら必然的にヤンキーの取り巻きだと後ろ指をさされるのを甘んじて受け入れなければならなかった。

その反面、在韓米軍のＰＸは米軍の駐屯国のうち最大規模を誇り、米軍が韓国に注ぎ込んだ軍事経済援助金のうち、実に七割がヤミ市場を通じて全国各地の市場経済を形成した。首都ソウルの贅沢品の相場は、京畿道（キョンギド）の坡州（パジュ）にある超大型ＰＸが左右した。ＰＸや基地で働く韓国人がトラックごと品物を運び出す、大がかりな窃盗事件が季節ごとに新聞紙上を賑わせた。これらの盗品は「トラック荷卸し場」と呼ばれる大規模なヤミ市場で飛ぶように売れた。盗品を運んできた米軍のトラックまでもがバラバラに分解されてヤミ市場に流れ、戦後の経済復興に貢献した。

食べていくのも精一杯な今、他人の後ろ指など大したことではなかった。俺はウギのことが涙が出るほど羨（うらや）ましかった。自立して運命を切り開いたこともそうだが、八軍のショーを目の前で毎日観られるのが本当に羨ましかった。ＡＦＫＮもレコードも、実際の公演とは比べものにならなかった。しかも八軍ショー団の芸能人の実力といえば折り紙つきだった。目をつむって聴けばすっかり騙されるほど、完璧に洋楽の歌唱法を真似るベテラン揃いだった。コリアン・エルヴィス、コリアン・ナット・キング・コール、コリアン・パティ・ペイジなどが八軍クラブに集結していた。スターによるショーを毎日タダで見物できるウギは、まったくもって恵まれた奴だった。

「今度、俺と一緒に乙支路(ウルチロ)にクラブのショーを観に行こう。俺が手配してやるから」

「おまえなんかが手配できるのか？」

「もちろんよ。俺がいなければショーが成り立たないんだぜ」

大風呂敷を広げるウギを、俺は尊敬の目で見た。彼の華々しい出世語りに引き込まれ、空腹も忘れるほどだった。別れ際にウギは胸を叩いてこう請け合った。

「工場生活が辛かったら俺に言えよ。この先輩が助けてやるから」

「大丈夫だよ。おまえも頑張らないとな」

すると、ウギは俺の頭を拳で殴るふりをしながらこう脅した。

「おい、まだ俺が工場勤めのうすのろに見えるのか？」

俺は真顔で首を横に振った。背の低いヤンキーの取り巻き、ミン・ウギが威風堂々とした巨人のように見えた。自立を成し遂げた男は大きく、格好よかった。つまらないプライドを捨ててすがりたくなるほどに。ウギの前で一瞬でひよっ子になってしまった俺は、しばらくもじもじした後に結局白状してしまった。

「あのさ。俺、実は工場からも追い出されたんだ」

「何だって？」

「叔父さんからカネは少し貰ったけど。宿代にするのはもったいないし、まず仕事を決めてから部屋を探そうと思って。もうすぐ夏だから、野宿でもするよ」

「どうしてそれを最初から言わなかった？」

ウギは飛び跳ねるように俺を引っ張ってクッパ屋に連れて行き、大盛のソルロンタンを食わせてくれたかと思うと、すぐに約束を取りつけた。土曜日の昼に何があってもニューワールドに来いと言って、入場料の二十ファンまで握らせてくれたのだった。俺は偉大なるウギ様に向かって何度も頭を下げながら、必ずそうすると誓った。

そうしてやってきた土曜日、俺は約束どおりニューワールドに走って行った。ウギは俺を見るや、こう命令した。

「おい、おまえ、ヘルパーやれ」

「ヘルパー？　俺が？」

「ちょうどおととい一人クビになったんだ。クズみたいな奴が前から言うことをきかないと思ったら、とうとう照明の電球を割ってさ。電球一つがいくらすると思ってるんだ。団長にぶん殴られてそのまま追い出されたよ。明日から大きなショーが目白押しなのに、人手が足りないって大騒ぎさ。八軍のクラブフロアショーといったらとてつもないんだ」

ウギの話はつまり、クビになったヘルパーの代わりを俺が務めればちょうどいいということだった。

「俺じゃなくてもそこで働きたい人は山ほどいるだろうに」

力なくつぶやく俺に、ウギは鋭い視線を送った。

「自立したいんじゃなかったのか？」

俺は黙ってうなずいた。ウギは、もう幹部に推薦しておいたからすぐに面接を受けに行こうと言った。俺は一も二もなくウギに従い、プロダクションが集まる元暁路（ウォニョロ）に向かった。


北斗興行は、大通り沿いにある古い二階建ての建物を自社ビルとして使っていた。一階の奥にある事務所には四十過ぎに見える中年男が一人座っていた。青白くせっかちそうな顔に、突き刺すような険しい視線。彼こそが北斗興行のショー団長、ミスター・ホンだった。団長といえば華やかに着飾っていそうなものだが、会社員のような背広姿は芸能人というより官公庁勤めのインテリに見えた。毎日ミズナオシ〔水拭きを指す俗語〕しているらしい板張りの床と目が痛くなるほどツヤを出したデコラの机、大きな飾り棚に並ぶ白磁の花瓶や盆栽の鉢などが会社の盛業ぶりをうかがわせた。

ミスター・ホンはもじもじする俺を睨（にら）みながら尋ねた。

「学生じゃないのか？」

「いいえ、僕とおない年の二十歳です。独立することにしたそうです」

「八軍で働いたことはあるのか？」

突然の質問に俺は反射的に頭を振った後、後悔した。働いたことがあると言い繕えばよかったのに。オロオロする俺の横からウギが割り込んできた。

「こいつ、英語が上手なんです」

すると、市場に売られてきた子牛を見るような目で俺を見ていたミスター・ホンが初めて食いついてきた。

「英語はどれぐらいできる？」

「すごく上手です。僕みたいな見かけ倒しとは違いますよ」

「そうか？　一度話してみろ」

俺はその場で英語の文章をいくつか暗誦した。俺は英語がそれなりにできた。三、四歳の頃から昼夜を問わずアメリカのジャズを聴き、大きくなってからも毎晩AFKNを聴いていたおかげだった。おまけに中学の三年間、南大門のヤンキー市場で安く手に入れたアメリカの雑誌を教科書代わりに独学した結果、AFKNから流れるニュースやコメディ番組の内容もだいたい聞き取れるようになった。ウギのようにヤンキーの下で仕事をする計画もなかったくせに、なぜそんなに一所懸命英語を独学したかといえば、理由はたった一つだった。エルヴィスとシナトラ、ナット・キング・コールのためだ。洋楽の歌詞を暗記するのはもちろん、内容まで理解したいと望むのは、洋楽ファンにとっては当然のことだった。

ミスター・ホンはその昔、俺にバイオリンを教えてくれた先生のような表情で俺の英語を聞いていたかと思うと、こう尋ねた。

「名前は？　年は？　どこに住んでる？」

ミスター・ホンは机の上に手を伸ばし、書類綴りから紙を取り出して質問した。

「キム・ヒョンです。一九四三年生まれ、昌信洞に住んでます。夜間高校を中退しました。これまでは製粉工場で働いてました」

彼は紙に俺の略歴を書き入れてあちこちに判子を押すと、脅し文句を吐いた。

「しっかり働くか見てから正式に登録してやる。ここでは韓国式のいい加減なやり方は通用しないぞ、いいな？」

俺は電光石火のスピードで、かの有名な北斗興行所属のヘルパーになった。月給はなんと三万ファン。仕事ぶりを見て四万ファンまで上げてくれると言った。三万ファン、四万ファンだなんて！　音楽茶房に一日こもるのにかかる二十ファンにも事欠いていた俺には、にわかに信じられない大金だった。事務所を出るとウギが言った。

「クビになった奴は本物のチンピラだったんだ。ヒョン、おまえはチンピラと正反対のタイプじゃないか。だから俺がすぐにおまえを売り込んだんだよ。ミスター・ホンがどれだけ気難しい奴か。運がよかったよ」

「ありがとう、ウギ。この恩をどうやって返そうか？」

「いいってことよ。将来、俺より偉くなったら返してくれよな」

俺は心からウギに感謝した。三万ファン。それだけのカネがあれば自立するのに十分だ。自立できれば飯も腹いっぱい食い、音楽茶房にいくらでも通うことができる。つい昨日まで俺の胸を押さえつけ、締めつけていた通りのあちこちの標語が、一夜にして希望に満ちた祝福の文句に変わり、俺の胸を躍らせた。自立、更生、再建、独立。

軍事革命政府は外国製の密輸品追放を声高に叫んだが、その政府の軍人たちの間で行き交う賄賂がすべて舶来品と密輸品だという事実を知らない者はいなかった。自立と独立の価値は、そのように相容れない運命だった。

俺の出勤時間は工場に比べればずっと遅い、朝十時に決まった。夜中に盛り上がるクラブの性格上、ショーは通常午後七時、早くても午後四時に始まるから、わざわざ朝早くから出勤する理由がないのだった。それでも初出勤日に遅刻して目をつけられてはいけないと、一時間早い朝九時頃に元暁路に向かうと、会社のドアは固く閉じられていた。仕方なしに玄関の前に座って一時間以上待った。十時を過ぎると、ウギが出勤してきて朝飯抜きの俺にクッパを奢ってくれた。自分の暮らしも決して楽ではないのに、ふところの寂しい俺を何かと面倒みてくれるウギが本当にありがたかった。腹を満たしている間に始業した事務所に、団員たちがちらほらと集まり始めた。二階にある団員用の宿舎から大あくびをしながら下りてくる者もいたが、ほとんどは家から通っていた。それはとどのつまり、団員の多くが各自で家を借りて暮らせるほどの余裕があるということを意味していた。

時計が十一時ちょうどを指すと、鼻を刺すような白粉（おしろい）のにおいを漂わせた女性の一団が事務所に押し寄せた。彼女らは事務所に置かれた来客用の椅子に我先に座り、けたたましくおしゃべりを始めた。男性並みにすらりと背が高く、シルクのワンピースにハイヒールという洗練された装いの女たちは、見るからに他の女性とは違っていた。ワンピースの裾から伸びる長い足を、魂を抜かれたように見つめる俺に、ウギがニヤニヤと笑いながらささやいた。

「ショーガールだよ。間違っても聞こえるところでショーガール呼ばわりするなよ、命の保証はできないぞ。プライドが天より高いからな」

反対側に立っていた女がすぐさまウギを睨みつけて怒鳴った。

「ちょっと！　あんた今なんて言ったの？」

ウギは平然と笑って答えた。

「何ですか？　僕、何も言ってませんよ」

「あそこの皮もむけてない坊やが笑わせるね。ところでこの子、見慣れない顔だけど？」

「新入りのヘルパーです。こう見えても育ちのいいお坊ちゃんなんですから、かわいがってやってくださいよ」

ウギが俺の肩を抱きながら言った。女たちは鼻で笑いながら俺に言った。

「あんた、年はいくつ？　まだ学生でしょ？」

「しっかり働きなさいよ。この前のあいつみたいに使えなかったら、ただじゃおかないよ」

この俺が女たちに挟まれてもてあそばれるだなんて。恥ずかしいのを通り越し、息が詰まって死にそうだった。すぐにバンドのメンバーもやってきて、事務所は足の踏み場もなくなった。遅れて出勤してきた団員は事務所の外で待っていた。俺もウギと一緒に事務所の外に出た。

「これから何をすればいい？」

「団員たちを乗せる米軍のトラックがここの前に来るから、俺が言うとおりにすればいいよ」

米軍がトラックまで出してくれるのか。生まれて初めての経験に胸が高鳴った。向こうの道端で、数人のバンドマンがタバコを吸いながら雑談していた。ウギはそのうち目立って背の高い美男子を指して説明した。

「あいつが一番人気のギタリスト。ショーガールの姉ちゃんたちがぞっこんなんだ」

「見るからにそんな感じだな」

「あっちのずんぐりした男はドラマーで、その横の先生はベーシスト。ぜんぜん似てないけど、ああ見えても兄弟なんだぜ。ほかにもう一人ギタリストがいて、四人でときどきジャズコンボとしてステージに立ってる。長年活動してるから息もぴったりなんだ」

しばらくすると事務所の前にトラック三台が横付けされた。ウギが突然大声で怒鳴った。

「おい、ヒョン！　さっさと動け！」

俺は慌ててウギの後について一階にある倉庫に入り、楽器と照明をトラックに運んだ。ドラムセットを含む楽器数十台に照明機材、ダンサーの舞台衣装が入ったトランク数十個まで一か所に集めると、大変な量になった。一トントラックいっぱいの荷物をウギと俺、末っ子のヘルパーのたった三人で運ぶと、全身汗まみれになった。先頭のトラックにまず団長が乗り、次に振付師とダンサーが乗った。二台目のトラックにはバンドマン、最後のトラックに俺たちヘルパーが乗り込んだ。

俺たちを乗せたトラックは、龍山（ヨンサン）米第八軍基地に向かって走った。初めは梨泰院（イテウォン）方面にある東門に行ったが、ライフル訓練のため閉門になっていて、元暁路に近い西門の方に回らなければならなかった。梨泰院はソウルでも有数の犯罪多発地域だった。良識ある市民なら滅多なことでは足を踏み入れず、良家の子女は梨泰院という単語を聞いただけでも耳を塞いだ。酒と麻薬が横行し、刃傷沙汰（にんじょうざた）と銃の乱射が毎日のように発生する無法地帯。娼婦とチンピラが闊歩する暗い通りを、俺はきょろきょろしながら見物した。だが、夕暮れ前の梨泰院はまだ静かだった。娼婦が住む置屋が並ぶ裏通りも見た目は平凡な住宅街のようで、固く閉ざされた門の前にしゃがんでタバコを吸う木戸番のヤクザが時折目につくだけだった。

張りめぐらされた鉄条網の間にある基地のゲートがどのような審査を経て外部の人を通すのか、山のような荷物のすき間になんとか座っている俺には見当もつかなかった。肩にライフルを担いだ米軍のMP〔憲兵隊〕が俺が乗ったトラックの前に来て、中を大まかに確かめていっただけだった。停まっていたトラックがふたたび動きだし、目の前で立派な鉄の門が重々しい音を立てて閉まった。

　すると一瞬で風景が変わった。きれいで広い舗装道路と巨大なれんが造りの建物の前には、青々とした芝生が広がっていた。道路の標識も建物の看板もすべて英語で書かれていた。何もかもが生まれて初めて見る風景だった。曲がりなりにも金持ちの家でさまざまな舶来品に囲まれて育った俺の幼い頃の記憶を総動員しても、こんな風景は出てこなかった。俺は以前観たハリウッド映画を思い浮かべた。俺が住むこの地には存在しえない非現実的な風景が、目の前に現実として広がっていた。

　トラックは「1st Street」すなわち一番街にあたる大通りを直進し、交差点で「B Street」へと右折した。我を忘れた俺の横で、ウギが大いばりで説明を始めた。

「あれが劇場だよ。すごいだろ？　あれは郵便局。あれが消防署で、あれは……」

「知ってるよ。〝バンカメ〟、バンク・オブ・アメリカだろ」

　俺たちが乗ったトラックに向かって口笛を吹いて笑う黒人兵士を見ながら、そうつぶやいた。

レストラン、体育館、プール、パーティ会場、劇場、消防署、郵便局、銀行、図書館、土産物店まで、龍山米軍基地の中にはすべてが揃っていた。基地の外では想像もできないものまで。こんな驚くべき施設が、在韓米軍の便宜を図るためだけに北米大陸から地球半周分も離れた極東の地に建てられたのだ。バンク・オブ・アメリカの建物の向こうには、基地と民間区域を区分する鉄柵が立てられていた。目の粗い鉄条網の向こうに見える禿げ山の急斜面と荒れ放題の田畑が、この別天地がわが国の領土に実在するという現実をかろうじて認識させた。

トラックは低速で走り続けた。目的地のサービスクラブは、基地の繁華街にあたる北部地域と軍人の家族が住む施設や保安施設が集まる南部地域を横切る補給路の東端、俺たちのトラックが最初に入ってこようとして失敗した東門のすぐ前にあった。ぐるりと一周回ってきたことになる。

遅れたといってもショーの開演時間まではまだ数時間あったが、もう米兵たちがクラブの前にちらほらと集まっていた。

「あいつら、俺たちを待ってるんだ」

ウギの言ったことが、俺には信じられなかった。米軍が韓国人を迎えに出るなど、俺の常識ではありえないことだったからだ。トラックが停まるやいなやウギは素早く立ち上がり、荷物を縛ったロープを解き始めた。俺はウギが下ろした荷物を受け取って運びながら、歓呼する米兵たちを見た。彼らは異口同音に叫んでいた。

「ニュースターダスト！　ニュースターダスト！」

ウギの言葉は事実だった。ショーガールたちがトラックの荷台から立ち上がると、米兵らは我先に軍帽を脱ぎ、ショーガールに向かって手を伸ばした。俺を洟たれ小僧扱いしたショーガールは米兵の太い腕に体を預け、映画「恋愛準決勝戦」のジェーン・パウエルのようにスカートの裾をふわりと広げて軽やかに降りてきた。その姿がどれほど非現実的だったか。俺は重い楽器を背負ったまま立ち止まり、目を奪われた。ミスター・ホンから後頭部を目玉が飛び出るほど殴られなければ、そのまま日が暮れるまでうっとりと立っていただろう。

「こいつ、デレデレしやがって。出勤初日にクビになりたいか？」

俺は殴られた頭をさすりながら、楽器を抱きかかえてクラブの中にあたふたと駆け込んだ。教会のような造りのクラブの内部はとてつもない広さだった。その巨大な空間には、独特のにおいが漂っていた。人々の放つ体臭がその場にしみついたにおいと混じり合って生まれる、空間特有のにおい。俺は鼻をすすって米軍サービスクラブのにおいを深く吸い込んだ。それはあふれる脂肪とタンパク質と砂糖のにおい、ヤンキーのにおい、アメリカのにおいだった。

ところで、その空間にはステージになる場所が見当たらなかった。いくつかのテーブルと机のような形の大きな機械が数台、ビリヤード台や卓球台などが並んでいるだけだった。ウギがすぐに説明してくれた。

「ここはゲームホールだよ。ヤンキーたちはみんなここでゲームをして遊ぶんだ。あっちの機械は全部ゲーム機ってこと。アメリカ映画でピンボールマシーンってやつを見たことがあるだろ？それもあそこにあるぜ。ベースボールゲーム、スロットマシーンもな」

「じゃあショーはどこでやるんだ？」

「ショーホールが別にあるんだ」

ウギの後についてショーホールという場所に行った俺は、間抜けな顔で口をぽかんと開けた。数百人の観客を収容できるショーホールにはステージがあった。照明の消えた舞台の上にはグランドピアノが置かれ、乱雑に散らばった電気コードの間に子どもほどの背丈のマイクスタンドがぽつんと立っていた。ここでバンドマンがギターやドラムを演奏し、シンガーがブルースを歌い、ショーガールがカンカンを踊るのだ。そこは学校や教会の仮設舞台とは違い、専業芸能人が数百、数千回にわたり立ってきた年輪を感じさせる、本物のステージだった。俺の口は開きっぱなしだった。ウギがからかった。

「おまえ、これで公演を観たらションベンちびるだろうな」

ヘルパーがステージに楽器と照明機材を運び込むと、そこからは照明技師の出番だ。踊り子たちの衣装のトランクまで全部運び終わるとへとへとになったが、息つく暇もなく俺はウギに連れられてクラブを隅から隅まで見物した。兵士たちに食事を提供するレストランのホールには少なく見積もっても百を超えるであろうテーブルと椅子が並び、広い厨房とバーカウンターにはチキンの丸焼きやポテト、コーラにビールなど、メイド・イン・USAのあらゆる食料品が山のように積み上げられていた。

それを見ると自然とよだれが流れ、慢性栄養失調に苦しめられている胃腸が波打った。クラブで提供される飲食物はすべて米軍専用で、韓国人は公演に出演する芸能人だとしても勝手に手をつけてはならないのが米軍舞台の規則だとウギが釘を刺した。ただし、機会さえあればできるかぎりたくさん詰め込めという耳打ちとともに。食べ物を盗み食いして米軍や韓国人ウェイターに見つかればクラブへ出入り禁止になり、運が悪ければクビが飛ぶことになるから、〝自己責任〟でうまくやれという忠告も忘れなかった。

俺たちはショーホールに戻った。いつの間にか米兵たちが三々五々客席を埋めていた。田舎者丸出しであちこちをうろついていた俺の目に、ジュークボックスが飛び込んできた。俺は引き寄せられるようにジュークボックスに近づいた。その偉大な最新機械は百曲にものぼるレコードを内蔵していた。45ＲＰＭ、７インチのグラモフォンシングルレコード百枚だ。アメリカの老舗メーカー、シーバーグ社の名が刻まれたジュークボックスのガラスケースの中には、ジョニー・ホートンの〈ニューオーリンズの戦い〉のシングル盤が入っていた。後になって知ったことだが、そのジュークボックスは発売されてから十年になる旧型で、ともすれば故障して米軍から厄介者扱いされていた代物だった。

俺は手垢のついたジュークボックスの数字ボタンをそっと撫でてみた。見るだけではもの足りず、触って感じてこそ現実だと認められるような気がした。右側に開いたコインの投入口に二十五セント硬貨を入れ、数字ボタンを押せばその番号の曲が流れてくる。初めて見る機械だが、使い方が直感的にわかるようにつくられていた。俺はできることなら一晩中、感激に浸りながらジュークボックスを撫でまわしていたかった。

山のように大きな体躯の米兵がコーラ瓶を片手に近づき、「ヘイ」と声をかけてきた。ぼんやりしていた俺は驚いてジュークボックスから離れた。すると米兵はすぐにポケットから二十五セント硬貨を取り出してジュークボックスに入れ、数字ボタンを操作した。機械が動く音とともに、彼が選んだレコードがターンテーブルの上に置かれ、曲が流れ始めた。恍惚とする光景だった。俺はうっとりしながら独り言をつぶやいた。

「トニー・ベネット」

「イエス、トニー・ベネット」

米兵がにっこり笑って相づちを打った。つられて笑うと、背後からミスター・ホンの雷が落ちた。

「この野郎、さっそく怠けてやがるな?」

「便所に行ってきたところです!」

俺の代わりに素早く弁明したウギと一緒に、慌てて楽屋に走り込んだ。ショーが終わるまで団員のそばに影のように付き添い、言われたことをするのがヘルパーの仕事だった。散らかっていたステージは早くも本来の姿を取り戻した。何人かの米兵はもう最前列に座って開演を待っていた。彼らが話す言葉は聞き取れなかったが、上気した表情からニュースターダストショーの人気ぶりが実感できた。

開演は午後七時だった。始まるずっと前から観客席は米兵で埋まった。椅子が足りずに立ち見する人も、座っている人と同じぐらい多かった。バックには暗幕が張られ、照明がつけられた。

最初にバンドマンが一人ずつステージの上に上がり、定位置について楽器をチューニングした。派手なグリーンのスーツに真っ赤な蝶ネクタイをした白人の司会者がショー団のマネージャーと英語で話を交わした。前列に座った米兵がくすくすと笑いながら司会者に野次を飛ばした。司会を務めるのも自ら志願した兵士だということは、後から知った。踊り子たちがステージの準備をする間、司会者はステージ上に駆け上がって前説を行った。司会者が大げさなジェスチャーを交えて話すと、米兵たちは足を鳴らして大笑いした。そうこうするうちに時間は七時を過ぎ、兵士たちはステージに向かって声をあげ、苛立ち始めた。俺は焦りながらステージを見つめた。

ホーンセクションが立ち上がって勇ましくファンファーレを吹き鳴らした。ついに開演だ。下着同然の衣装を着た五人のショーガールがステージに走り出ると、割れんばかりの歓声がホールを揺らした。ビッグバンドが演奏するスイングジャズに合わせ、ショーガールは観客席に向かって軽々と足を上げた。鼓笛隊、海軍兵士、カウボーイなどなど、ショーガールは何度も衣装替えをしながらバラエティに富んだダンスを披露した。フィナーレでは十人ものショーガールが一列でカンカンを踊った。米兵たちは熱狂し、帽子を天井に放り投げて口笛を吹いた。公演を終えたショーガールが挨拶をすると、キャンディやガムなどあらゆるものがステージ上を飛び交った。後でステージを片付けながら、ウギは素早い手つきでガムや菓子を数個ポケットに入れた。俺も真似をして分け前をせしめようと思ったが、初日ということもあり、後のことを考えてやめておいた。
しばらく休憩時間が与えられた。米兵たちが熱気を冷ます間、俺とウギは団員の間をせわしなく走りまわって働いた。二つ目のプログラムは音楽だった。タキシードとノースリーブのドレスで正装した男女のシンガーが順番にステージに上がり、エルヴィス・プレスリーをはじめフランク・シナトラやジョニー・キャッシュ、レイ・チャールズのヒット曲を熱唱した。女性シンガーを中心とした混声ボーカルグループがプラターズの〈グレート・プリテンダー〉や〈オンリー・ユー〉を歌うと、客席から盛大な拍手が巻き起こった。マジックショーやアクロバティックショーまで行われるビッグショーは、三時間にもわたって続いた。

俺は「カーテンコール」という儀式をその日初めて体験した。公演を終えて楽屋に入った団員がステージに戻ってくるまで、喝采は止まらずに続いた。休みなく光るカメラのフラッシュに、いつまでも続くスタンディングオベーション。熱狂と感激。熱烈な拍手に応えるニュースターダストの団員たちの顔は、眩（まばゆ）い光を放っていた。それは照明のせいでもなく、びっしょりとかいた汗のせいでもなかった。ステージの下からアメリカ人が拍手を送り、ステージ上の韓国人が拍手を受ける。現実では不可能な力学関係がそこでは可能だった。ほとんど恍惚としたまま、俺も手がちぎれるほど拍手した。

トラックに荷物を運ぶと、いつの間にか通行禁止時間〔米軍が一九四五年に出した夜間通行禁止令により、午前零時から四時の間、民間人の外出が一九八二年まで禁じられていた〕が近づいていた。今日はどこで寝ようかと考えていると、誰かが俺の肩をつついた。驚いて振り返ると、幼い米兵が向こうでカメラを持って立っている上等兵を指さしながら、フォト、フォトと叫んだ。一緒に写真を撮ろうと言っているようだった。

「ノー、ノー」

俺は芸能人ではないと首を横に振ったが、兵士は意に介さず俺の横に近づいてポーズを取った。鼻先でカメラのフラッシュが光ったせいで、まぶしくておかしな表情になってしまった。照れくさくて頭をかく俺を見て、ウギがくすくすと笑った。

「俺も何度も写真を撮られたよ。そのうちバンドマンになりきって格好つけてポーズも取るようになったけど。どうせあいつらの目には俺たちはみんなモンキー、お猿さんなんだから見分けもつかないしな」

米兵たちの歓呼は、結局才能のある猿に送る拍手だったのだろうか？　俺は韓国人シンガーが歌うフランク・シナトラを聴きながら、拳で涙を拭っていた米兵の姿を思い浮かべた。いいや、猿の才能を笑うことはできても、感激の涙を流すことはできないはずだ。

俺たちを乗せたトラックは、東門を通って基地を出た。夜の梨泰院(イテウォン)は、静かな昼間の風景から一変して四方にネオンサインが光り、騒音を撒きちらす歓楽街に変身していた。俺は梨泰院の通りを埋める米兵を見た。ぬかるんだ道に座り込んで飲んだ酒を吐く米兵、英語で大声をあげながらつかみ合いのケンカをする米兵、そして彼らの腕を引っ張って裏通りへと「ヒッパリ〔客引きの隠語〕」をするチンピラや娼婦たち。まぶしい照明の下で赤裸々に繰り広げられる現実の風景は、幻想的なショーの体験をあざ笑うように鮮明に迫ってきた。

龍山（ヨンサン）、キャンプ・ギャリソン。そこは韓国であって韓国でない別世界、鉄条網と銃剣に塞がれた別の世界、太平洋の向こう、地球の反対側にある巨大な大陸よりもっと遠い場所だった。ようやく俺は悟った。荒廃したこの都市で夢よりもっと夢のような、魔法よりもっと魔法のような現実が起こりうる場所は、映画館でもパン屋でもダンスホールでもニューワールド茶房でもなく、アメリカ合衆国の領土だけだということを。

3. 何はさておきカネのため、その次にショーのため

自立に求められる必須条件は衣食住の面倒を自分でみることだ。仕事を見つけたので、次は家を探す番だった。俺は経理のところに行って行き場がないと拝み倒し、月給を前借りさせてくれと頼んだ。経理は黙って三万ファンの月給のうち二万ファンを払ってくれた。会社の玄関の前で指に唾をつけながら紙幣を数えるのに没頭していると、ピカピカの革ジャンを着た中年の男がそっと俺に近寄って話しかけてきた。

「最近家賃がすごく上がっただろ?」

「あ、そうみたいですね」

反射的に答えると、男は素早く言葉を続けた。

「引っ越しするなら言ってくれよ、いつでも手助けするぜ」

いったいなぜ俺を助けてくれるというのか。それに俺が部屋を探しているのをどうして知っているのだろうか? 面食らう俺に、男はニヤリと笑いながら腰に巻いた胴巻きをちらりと見せた。胴巻きははちきれそうなほどパンパンだった。いったいどれだけのカネが入っているのかと口を開けて見つめると、男は俺の肩を叩きながら親しげに言った。

「向こうの三叉路の角に釜山(プサン)の婆さんがやってるマッコリ屋があるんだ。毎日正午にあそこに寄るから、カネが必要なら来いよ」

「ところで、あなた誰ですか？」

「俺？　おまえみたいな青年の自立を助ける人だよ」

　男は口笛を吹きながら、三叉路の方に遠ざかった。見慣れない男の怪しい誘い文句に当てられた俺は、急いで気を取り直し、握っていたカネを確認した。幸いスリではなかったようだ。

「大通りに座ってカネなんて数えてりゃ、金貸しに目をつけられて当然だろ」

　事務所から出てきた男が、俺の頭に向かって舌打ちした。痩せ型で学生のように幼い顔の彼は、ニュースターダストバンドのベーシスト、パク・ジュンソクだった。

「金貸しですか？」

「元暁路（ウォニョロ）や三角地（サムガクチ）一帯で石を投げると、芸能人じゃなくて金貸しに当たるっていうぜ」

　果たして男が醸し出していた怪しさの正体は、カネのニオイだった。金貸しの男は通りの向かいで別の間抜けを捕まえて返済を催促していた。男を見るジュンソクの視線は冷たかった。そういえば、彼と話すのは初めてだった。

「おまえ、新しく来たヘルパーだろ？」

「はい、キム・ヒョンです。よろしくお願いします」

　俺が頭を下げると、ジュンソクは手を差し出した。

「挨拶はいいから、カネの管理でもしっかりやりな。稼ぐのも一瞬だけど、使い果たすのも一瞬だからな」

「はい、わかりました」

穏やかに忠告する彼の細い切れ長の目が突然まん丸になったかと思うと、俺を置いて突然マッコリ屋の方に走って行った。先輩であり、何事かと気にもなって、俺も追いかけた。

「兄貴！」

ジュンソクがマッコリ屋の前で叫んだ。真っ赤な顔をしたずんぐりむっくりの男が、店の入口で主の老婆と言い争っていた。男はしきりに店の外に出ようとするが、老婆は入口で粘りながら出られないように止めている様子だった。

「あたしを殺してから行きなさいよ。今日は死んでもツケを払ってもらうからね」

「参ったな、ばあさん。明日絶対払うって言ったじゃないか。常連にその扱いはないだろう」

「おまえのツケがどれだけ溜まってると思ってるんだい？　一万ファンだよ、一万ファン！」

「このとおりだ、誓うよ。ばあさん、俺と指切りしよう」

「何言ってるんだい、いやらしい！」

驚いて目を見開いた老婆の面前にニヤニヤ笑いながら小指を差し出す男は、弁舌滑らかだった。明らかに泥酔していた。慌てて走ってきたジュンソクが間に入った。彼は財布から千ファン札数枚を取り出して老婆に渡した。

「先に五千ファンお返ししますから、勘弁してください」

「五千ファンじゃなくて、一万ファンだよ。この帳簿を見なさいよ。一か月以上もタダ酒飲んでおいて、半分だけ払って逃げようなんて、こんな泥棒がどこにいるってんだい」

店の帳簿まで広げて怒鳴る老婆は、取りつくしまもなかった。老婆も頑固だったが、一万ファンもツケを溜める男も大したものだった。一方で、いくら稼ぎがよくてもこんなふうになるのかとも思った。いつの間にか金貸しが現れ、くちばしを挟んだ。

「教養ある市民の方々がどうしたんですか。何だって、ツケ払いの五千ファンが足りない？」

すると酒に酔った男は、金貸しの手をぱっと握ると無邪気に言った。

「五千ファンじゃなくて一万ファンだってさ、一万ファン」

「おお、それじゃあ一万ファンにキリカエ〔追加融資〕されるんで？」

金貸しはニッと笑いながらパンパンに膨らんだ胴巻きに手を差し入れた。ジュンソクが鋭くはねのけた。

「何がキリカエだよ。さあ、おばあさん、ここに一万ファンあります」

すぐにジュンソクの財布から登場した千ファン札五枚が老婆の帳簿の上に置かれ、彼は泥酔した男を引っ張ってマッコリ屋を出た。男は歩道のブロックの上に座り、もつれた舌で陽気に歌を歌っていたかと思うと、すぐに居眠りをし始めた。ふたたび音もなく現れた金貸しが、ジュンソクに老獪（ろうかい）に声をかけた。

「弟どの、お久しぶりでございます。お兄様が私からも一万ファン借りていかれましてね」

ジュンソクは舌打ちして千ファン紙幣十枚を取り出し、金貸しに渡した。すると金貸しは垂れた目尻をぐいっと上げてこう言った。

「利子も払ってもらわないとな？」

ジュンソクはふたたび舌打ちしながら財布を取り出し、五百ファン札二枚を金貸しにくれてやった。元金一万ファンに千ファンだから、利子は一割だった。金貸しは紙幣を一枚ずつ数えて確認した後、丁寧に折り畳んで胴巻きにきちんとしまい、その場を去った。

ジュンソクは薄くなった財布をふところに戻し、大きなため息をついた。酔っぱらった男は何も知らずにいびきまでかいて眠りこけていた。ジュンソクが彼を支えて起き上がらせた。小柄な体格で自分の倍ほどもある男を必死でおぶっているのが気の毒で手助けすると、ジュンソクは額から汗をダラダラと流しながら俺に頼んだ。

「タクシー捕まえてくれるか？」

俺はすぐに車道に出てタクシーを捕まえてやった。彼は駅で降ろしてやるから一緒に乗っていけと勧めた。断る理由もなかったので、後部座席に乗り込んだ。

「万里洞（マルリドン）まで行ってください」

ジュンソクは運転手に目的地を伝えた後、俺に尋ねた。

「どこに住んでるんだ？」

「まだ住むところがないんです。今日から下宿を探すつもりです」

「そうか。ちょうど近所に安い部屋が出たから、一度行ってみろよ」

「ありがとうございます」

パク・ジュンソクと酔っぱらいの男、パク・ジュンチョルは兄弟だった。初出勤の日にウギから聞いた話を思い出した。ニュースターダストバンドのドラマーとベーシストは実の兄弟だと。実際に会うとまったく正反対の兄弟だった。一人はなよなよとして、もう一人は相撲取りのような体格だし、性格もまったく違うようだった。普通は兄が弟の面倒を見るものだが、弟が兄の世話を焼くのも珍しかった。それでも兄弟仲はよさそうに見え、内心羨ましかった。

タクシーは間もなくパク兄弟が住む万里洞に到着した。俺はジュンソクと一緒に兄を家の中に寝かせて出てきた。俺を見送りに出たジュンソクは、万里洞の丘の上を指さした。

「あのてっぺんの左、電信柱のすぐ前にある二階建ての家が部屋を安く貸してるんだ」

その言葉どおりに丘の頂上の家を訪ねていくと、本当に手頃な値段で部屋を借りることができた。部屋の真ん中に座って両手を広げると指先が壁に当たるほど手狭な部屋だったが、生まれて初めて自力で借りた家の居心地の良さはなにものにも代えられなかった。誰にも邪魔されず、誰とも体をぶつけずにいつでも眠れる自分だけの空間。俺は部屋代を払うと、市場に行って餅を三つ買って平らげた。履きすぎてかかとに穴があいた靴下も思いきって捨て、新しいものを買った。それでもまだカネが残っていたから、にわか成金にでもなった気分だった。

翌日出勤したウギに聞いてみると、自分も金貸しに月八分の利子で数千ファンの借金があるとあっさり白状し、俺を驚かせた。高利貸しが庶民の金融に欠かせない時代だからといって、芸能人でもないヘルパー風情が金貸しからカネを借りるという事実にあきれもしたが、俺だって数日前までは十ファン札一枚に震え上がっておきながら、数百ファンもする家賃を何事もなく払ったのだ。カネが乱れ飛ぶ芸能界は常識外れの別天地だった。若くして大金を手にした芸能人の金銭感覚はすぐに狂い、彼らのポケットを狙う輩たちも周到だった。ジュンソクの忠告を思い出しながら、油断すれば大変なことになると肝に銘じた。

俺は少しずつ米八軍芸能界の生態系を学んでいった。特定のクラブと契約してそこだけで定期的に公演するのはハウスショー、さまざまなクラブと単発で契約して一日、または数日間行うショーはフロアショーと呼ばれた。そして一般的にはフロアショーの人気がハウスショーよりはるかに高く、メンバーの実力も優れていた。ニュースターダストショー団は、もちろんフロアショー専門だった。北斗興行にはニュースターダスト以外にも約百人の芸能人が所属しており、ラスベガスや東京、フィリピン、香港などで巡回公演を行った国際的スターもいた。

今週末にはスモールショーが入っていた。スモールショーには、フルバンドの代わりにメンバーが半分になるハーフバンドとショーガール二人、ソロシンガー二人だけが出演することになっていた。数十人の団員が総動員され、音楽とダンス、曲芸にコメディまでバラエティに富んだ公演が繰り広げられるビッグショーと比べれば、ずいぶん小規模なショーだった。だが、ショーの人気は必ずしも団員の数に比例するものではなかった。今回の公演には新参の俺が見たことのない〝トップシンガー〟が登場する予定だといった。

北斗興行が誇るトップシンガー、キム・ヘヒ——芸名キキ・キム。韓国のパティ・ペイジ、韓国のマリリン・モンローなどと呼ばれる芳紀（ほうき）十九歳、米八軍芸能界の新星。キキ・キムは昨晩、釜山の米軍基地で公演を終え、今日帰京する予定だという。俺は雑誌でしか見たことのないキキ・キムの艶っぽい姿を思い浮かべ、内心期待に胸を膨らませた。

「こいつ、今日のショーをぶち壊してでもみろ。二度と元暁路（ウォニョロ）、三角地（サムガクチ）に足を踏み入れられないようにしてやるからな」

性悪なミスター・ホンは朝っぱらから神経をとがらせ、何度もヘルパーに釘を刺した。芸能人でもないヘルパーがどうやってショーをぶち壊せるのかと思ったが、言われたとおりにするしかなかった。

北斗興行のショー団長、ホン・ヒボクは芸能人として最高の経歴を持つ大物だった。高校時代に器楽部に所属して音楽を始め、五十年代に名声を得た《Aクラスショー》の専属サックス奏者として八軍での生活を始めた。団員生活一年でソロのステージに立ち、それから間もなく所属バンドのバンマスになったのに続き、数年後には団長にまで昇りつめた。そうして八軍芸能界で三本の指に入る芸能プロダクション、北斗興行の専務にまでなったのだ。

ミスター・ホンは団員の扱いが荒いことで悪名高かった。そのため、この一年だけでも十人の団員が逃げ出したという。徹底した実力至上主義といえば、それほどの経歴の芸能人なら十分に納得できる態度だが、巷間の噂によればミスター・ホンはショー団長になってからカネの亡者になり、元暁路一帯の金貸しと癒着して団員を相手に高利貸しをしているというのだった。しかも、ミスター・ホンは重度の阿片中毒者だった。一流のサックス奏者だった彼が引退してから数年が経つが、性格が権力志向に変わった上、阿片に耽溺するあまり肺を病み、これ以上サックスが吹けなくなったという噂が広まっていた。

「団長がどうして朝っぱらから騒いでるか、俺は知ってるぜ」

事務室の上階の倉庫でトラックを待っていると、ウギが訳知り顔で言った。

「どうしてだ?」

「今日ショーに出るキキ、団長のコレなんだ。釜山でヤンキーの軍曹と何かあったんだろ」

ウギは立てた小指を曲げながら、いわくありげに笑いを浮かべた。

「何かって何だよ?」

窓ぎわでタバコを吸っていたバンドマンの一人が拳を握って息巻いた。この美男子、イ・ガンヨプはニュースターダストバンドのギタリストだ。

「おやおや先生、僕が何を知ってるって言うんですか」

ウギが言い繕うと、イ・ガンヨプも本当に腹を立てる気はなかったのか、上げた拳を下ろして鼻を鳴らした。

「ホンの師匠もあの年で情けないだろうな。女に振りまわされるなんてさ」

パク・ジュンソクの兄、ジュンチョルが割り込んだ。

「それもこれも阿片のせいだよ」

「バカ言うなよ。阿片を吸えばおとなしくなるはずだろ、あんなふうに騒ぐか？」

「それなら阿片じゃなくて酒だろう。昨日の夜だって中華料理屋に一人座ってくだを巻いてるから話しかけてやったら、『タダ酒が飲みたきゃ借りたカネをまず返してから飲むんだな』だってさ。俺を誰だと思ってるんだ」

すると、横でジュンソクが目をぎょろつかせて叫んだ。

「兄貴、団長には絶対カネを借りるなって言ったじゃないか」

「おっと、これだからチョンガー〔独身男性への蔑視表現、ここでは自虐〕はつらいぜ。嫁さんの代わりに弟から責められるとはな」

パク・ジュンチョルが、握っていたドラムスティックで張りのある太ももを太鼓代わりに叩きながらぼやくと、団員たちは大声で笑った。そういえば、そろそろクラブに出発する時間が迫っているのに、キキ・キムは事務所に到着していない。会社の前にトラックが到着した後になって事務所に電話が入り、ソウル駅でタクシーを捕まえて直接クラブに行くので先に出発しろという内容だった。ミスター・ホンが愚痴をこぼした。

「何がタクシーだ、あいつときたらお高くとまりやがって。自分のことをマリリン・モンローだとでも思ってるのか」

ミスター・ホンはすっかりへそを曲げていた。クラブに到着して荷物を下ろす間も、楽器を逆さにするなだの動きが遅いだのと、ひたすら難癖をつけた。上司が横から休みなく口出しするので、みんな普段以上に緊張してむしろミスを連発した。俺の後から入ったヘルパーは十五歳の小僧だったが、気の毒なほど右往左往していたかと思うと、とうとう持っていたギターを落としてしまった。幸いにもギターに傷はつかなかったが、よりによってミスター・ホンがその前で目を光らせていたのが問題だった。

「このポンコツ野郎！」

悪態と同時にそいつの胸のど真ん中に足蹴を食らわせた。彼はへなへなと床にひっくり返った。それでも足りなかったのか、ミスター・ホンは倒れた小僧の頭をつかんで思いきり横っ面を張った。見かねたパク・ジュンソクが暴れるミスター・ホンを止めた。

黙ってギターの弦をいじっていたイ・ガンヨプが、独り言のように皮肉った。

「まったく見てらんねえな」

「何だと？」

「キキのことで朝っぱらから癇癪（かんしゃく）を起こしてるのを知らない奴はいないぜ。いい年してあんな娘っ子のせいでヒステリーかよ？」

ミスター・ホンは目をひんむくと、わっと飛びかかってガンヨプの胸ぐらをつかんだ。椅子が倒れ、物が割れ、大騒ぎになった。俺とウギはもちろん、団員全員が走り寄って野良犬のように絡み合う二人を引き離した。騒ぎを聞きつけて走ってきた米軍の司会者が、楽屋のドアを叩いた。彼はミスター・ホンに英語で何か注意した。米軍の前で彼は一瞬で態度を変え、満面に笑みを浮かべて「ベリー・ベリー・ソーリー」を連発した。その直前まで泡を吹いて拳を振り上げていたのに、変わり身の早さは感嘆するほどだった。

ミスター・ホンはショーのレパートリーが書かれた英語の書類を手に、司会者の後を追って楽屋を出ながらガンヨプに脅し文句を残した。

「公演が終わったら顔貸せよ」

ガンヨプは出て行くミスター・ホンの後頭部に向かって拳を振り上げた。快活な性格のパク・ジュンチョルが、ドラムスティックを振りながら言った。

「厄払いだよ、厄払い。今日のステージはうまくいきそうだな」

だが、残りのメンバーの表情はぱっとしなかった。ミスター・ホンを刺激してもいいことがないのは明らかだった。今朝から問題になっている台風の目、キキ・キムはいまだに姿を現していなかった。

万が一、キキ・キムが今日のショーに穴をあけたら？　興行会社としては相当な損害をこうむるはずだ。クラブの客席を埋めた米兵たちは、休みなくキキ、キキと連呼していた。全員が彼女目当ての観客だった。ビッグスターとはこんなに自分勝手なものなのだろうか？

結局、キキ・キム不在のままでステージの幕が上がった。公演の前にショーの順序を〝イントロデュース〟する司会者の口からキキ・キムの名前が出るや、堰を切ったようにあふれる米兵の歓声に俺は怖じ気づいてしまった。もし今日の公演が失敗に終われば、そのとばっちりを受けるのはビッグスターの玉体（ぎょくたい）ではなく、俺たちヘルパーの体になるだろうからだ。心配する俺をガンヨプが慰めた。

「キキは必ず来るから、そんなに心配するなよ」

彼は整った額にマーロン・ブランドのように皺（しわ）を寄せて断言した。オープニングのファンファーレとともに公演が始まった。普段なら俺も公演を観ながら楽しんでいただろうが、今日は殺気立ったミスター・ホンの様子をうかがうのに必死で、ナット・キング・コールのブルースもベンチャーズのごきげんなロックンロールギターも耳に入ってこなかった。

最初のカーテンコールの間にもまだキキ・キムはクラブに到着していなかった。ミスター・ホンは夜叉（やしゃ）のような表情を浮かべた。どれだけ待っただろうか。ついに楽屋のドアが開き、今日のスターが到着した。

「待ったでしょ？　汽車が遅れちゃって」

キキ・キムを初めて見た俺は、背の低い男かと思った。男性用のタキシードを仕立て直したステージ衣装を着ているせいだった。持ってきたトランクを開き、中折れ帽を取り出してかぶったキキ・キムに、ミスター・ホンが雷を落とした。

「おい、いま何時だと思ってるんだ?」

「汽車が遅れたんだから仕方ないでしょう。だから汽車の中で化粧も済ませてきたんです」

彼女は悠然と答え、素早い手つきでハンドバッグから手鏡を取り出すと、ずれた付け睫(まつげ)を直してすぐに舞台に出た。途中で彼女はおっと、と持っていたハンドバッグを俺の胸に放り投げ、俺は考える暇もなくバッグを受け取った。

割れんばかりの歓声とまぶしい照明が照らすなか、キキ・キムは両手を大きく広げてステージの中央に立った。俺は彼女のハンドバッグを胸にぎゅっと抱いたままミスター・ホンの様子をうかがい、こっそり楽屋の外に出た。幸いにも彼はキキ・キムを見つめるのに忙しく、俺のことは気にかけなかった。トランペットとドラムが前奏を鳴らした。獣のように叫んでいた米兵たちは、息を殺してキキ・キムの唇だけを見つめていた。

——スワニー、どれほど恋しいことでしょう　懐かしのスワニーよ
小さな体から吐き出される豊かな声量に、俺は圧倒された。キキ・キムはジョージ・ガーシュウィンの〈スワニー〉を熱唱した。狭いステージで運動場のように端から端まで縦横無尽にタップダンスを踊るキキは、映画「スタア誕生」のジュディ・ガーランドよりも敏捷(びんしょう)で朗(ほが)らかだった。息つく間もなくキキ・キムは次の曲を歌った。エルヴィス・プレスリーの〈本命はおまえだ〉。キキ・キムは、エルヴィス特有の鼻にかかった唱法でほぼ完璧に歌いこなした。続いて八軍女流シンガーの十八番〈ムーン・リバー〉、最後に〈ホールド・ミー、スリル・ミー、キス・ミー〉

を歌った。コニー・フランシスの切ない歌声も形無しにする可憐な調べと、リズムに合わせて軽やかに振られる手と艶やかな姿態といったら。さっきまで力強く〈スワニー〉とエルヴィスを歌い、ステージを掌握していた歌手は、一人の男の愛を渇望する可愛い女に変身して観客を翻弄した。

公演を終えたキキ・キムが優雅に腰を落として挨拶すると、俺がこれまでに見たどんなカーテンコールよりも熱狂的な喝采が客席から沸き起こった。米兵たちは軍靴(ぐんか)を鳴らしながら口笛を吹き、声が枯れるほどアンコールを叫んだ。金色に輝くイブニングドレスに着替えてカーテンコールに応えるキキ・キムは、マイクを握ると流暢な英語で挨拶した。興奮が極限に達し、大騒ぎしていた米兵たちは、一転して静かに聴き入った。俺もろくに聞き取れもしないくせに懸命に耳を傾けた。

——ジョージア、おお、ジョージア、手を差し伸べて、優しく微笑みかけて、私には安らげる場所がない……

キキ・キムが選んだアンコールナンバーは〈我が心のジョージア〉だった。ハスキーボイスで歌われる哀切なメロディに、米兵たちは一様に涙を流し始めた。ミスター・ホンまでもがすすり泣きながら彼女から目を離せずにいた。

キキ・キムはスター中のスターだった。キキは目の前に現れた瞬間から、俺の五感を鷲づかみにした。俺の耳はキキの声から、俺の目はキキの肉体から一時(いっとき)も離れられなかった。それは魔法だった。人の心をただちに武装解除させる、絶対的な魔法。それは音楽がかける魔法であり、女が男にかける魔法だった。

俺はあたふたと楽屋に戻り、大事に抱えていたハンドバッグをキキに返してやった。キキは汗まみれの顔で俺を見ると、にっこりと笑いながら礼を言った。

「サンキュー！」

それが俺と彼女が交わした会話のすべてだった。小さく美しい唇から発せられた一言は、幼い頃に俺の魂を魅了したバター菓子よりも甘かった。その日から毎晩、俺の夢の中にはキキが登場した。うぶな二十歳の初恋だった。

俺の初恋は、始まる前から終止符が打たれる片思いの運命だった。キキ・キムとミスター・ホンの長年の関係は、会社はもちろんソウル中でも知らない者はいなかった。ミスター・ホンはキキを少女の頃に見初め、今では夫婦同然なのだといった。ところが二人は禁断の仲だった。ミスター・ホンは、キキと初めて会ったときから二人の子どもを持つ妻帯者だったからだ。

キキは十歳の頃から全国を回り、天才少女歌手としてその名が知られたベテランシンガーだった。父のキム・ソンギョンは日帝時代に有名楽劇団を創設した音楽界の名士だったが、五人の子どものうち最も才能に恵まれたキキに自ら音楽を教え込み、八軍ショーでデビューさせた。キキの父は以前、ミスター・ホンにサックスを教えたこともあった。もともとトランペッターとして音楽を始めたミスター・ホンは、キム・ソンギョンに師事した後にサックスに転向し、本格的に名声を得ることができた。キキが十三歳になった年、キム・ソンギョンは結核で早世し、愛弟子のミスター・ホンにキキのマネージャーと父親役を託した。父はキキを連れ、芸能界を風靡していた北斗興行のムン・ジュソン会長を訪ねた。それからはずっと順風満帆だった。

キキの勢いは大変なものだった。弱冠十四歳でソウル市内に立派な家を買い、父を失って生活苦にあえぐ家族を養ってきたのだから。もちろんミスター・ホンの手腕による功績も無視できないものがあった。

「キキのやつ、嫁に行くのはとっくにあきらめただろう。何が悲しゅうて父親みたいな年寄りと一緒になったんだか」

「年寄りだなんて。三十代であれならチャーミングじゃないか？」

「何がチャーミングだよ。そんなこと言っても結局は阿片中毒者の妾だぜ」

キキに惚れた俺は、以前なら聞き流していた団員たちのおしゃべりを一所懸命拾い聞きした。話にのぼるキキの姿は、まぎれもない妖婦であり淫婦だった。他人の家庭を壊した浮気女、今より若い頃に誰の子かもわからない子どもを中絶しようとして失敗し、秘密裏に養子に出したという噂もあった。その子どもが実は米軍の将校との間にできた混血児だったなどと、悪質なデマまで広まった。それでキキのことが嫌いになったかといえば、めっそうもない話だ。若い女が三十を超えた妻帯者と付き合っているという事実は、俺のような奥手な男には密かな想像力を刺激する触媒になるだけだった。

キキの体は子どものように小さく、顔も十九歳らしく幼かったが、ハスキーな歌声からは酸いも甘いも噛み分けた、成熟した女性の魅力が漂った。考えてみれば十歳やそこらからステージでカネを稼いでいるのだから、一般人の倍は齢を重ねた若年寄のようなものだった。

「キキのやつ、最近はイ・ガンヨプと遊んでるらしいじゃないか。ショーガールの間では噂で持ちきりらしいぜ」

目ざといウギは、キキの話が出ると俺がそわそわしているのに気づいてからかった。

「ミスター・ホンはどうしたって？」

「子持ちの年寄りの精気を吸い取ったら、次は若いつばめをものにするつもりなんだろう。聞くところでは団長がキキにねだられてマムシにオットセイのあそこに、精力剤漬けになってるって話だぜ。まあ、阿片でフラフラになってる奴のあれじゃあ、キキを相手にするのは大変だろう」

あれこれとまくし立てながら腹を抱えるウギが憎たらしくて、俺は外の風に当たってくると言って席を外した。事務所の外に出ると、ちょうどガンヨプがいた。彼は俺を見ると陽気に声をかけてきた。

「丑（うし）の日はだいぶ先なのにもう蒸し暑いな。カネなら腐るほどあるくせに事務所に扇風機一つないなんて話にならねえ。おまえも涼みに来たのか？」

ガンヨプの整った顔を見ると腹が立ち、嫉妬心に苛（さいな）まれたが、強い日差しにしおれる青菜のように力なくしぼんでしまった。街路樹にくっついたツクツクボウシは力のかぎりわめき立て、向こうの道端では市庁の職員らがプラカードを掲げて腸チフスの予防接種を呼びかけていた。

重い空気とともに流れてくるタバコのにおいは何かがおかしかった。俺が知らず知らず鼻の穴をひくつかせて怪しいにおいの正体を探ろうとしていると、彼はタバコを挟んだ指を俺の前に突き出した。

「おまえも吸うか?」

「僕は吸いません」

首を振る俺をガンヨプがからかった。

「いい大人がタバコも吸わないのか? こう見えてもこれ、洋モクだぜ。くれるっていうのに吸わないと損するだけだぞ」

先輩だけに、拒むこともできない状況だった。俺はタバコを受け取って一口吸い込んだ。その味から妙なにおいの正体に感づいた。どうやら阿片をタバコの葉に混ぜて吸っているようだった。ガンヨプも阿片中毒者なのか? 朴正熙(パクチョンヒ)が起こした軍事クーデター以降、麻薬犯の取り締まりは強化され、これまでのように大っぴらに吸うことはできなくなったが、少なくとも芸能人の間では阿片は身近なものだった。芸能人でも何でもない俺でさえ、学生時代に夜学の先輩たちに誘われて何度か阿片を吸ってみたことがあるほどだった。インテリの大学生がソウルの中心部で阿片を密造して摘発され、良家の主婦も阿片中毒になって新聞の紙面をたびたび賑わせていた時代だった。

だが、いくら大したものではないといっても、阿片の本質は心身を荒廃させる麻薬だった。阿片中毒者は最終的にヘロイン注射に手を出すことになり、その時点で人間として終わりだといってもよかった。叔父の工場で同室だった社員の中にも阿片中毒者がいたが、貰った給料をそのまま阿片の売人に渡していた彼は、結局廃人になって工場を辞めた。

「味はどうだ?」

俺はガンヨプにタバコを返してごまかした。

「よくわかりません。キキも阿片吸うんですか?」

つい質問してから、しまったと思った。俺はどうかしてるみたいだ。案の定、俺を見る彼の顔が険しくなった。生意気だと大目玉を食う覚悟をしていたが、ガンヨプは表情を和らげて尋ねた。

「気になるか?」

俺は野良犬のように首を上下に振った。

「キキは阿片って聞くだけでじんましんが出るんだ。あいつの父親が阿片で死んだのに、ホンのオヤジまで阿片中毒だからな。おまえ、ホンの腕を見たことあるか? 香港製のヘロインに財産をつぎ込んだってさ。足首まで穴だらけのハチの巣だよ。阿片のせいでもうサックスも吹けないしな」

「阿片をそんなに嫌うくせに、どうしてキキはホンから離れられないんですか?」

「男女の仲がそんなに単純だと思うか？」

ガンヨプは高笑いとともに俺の頭をぐしゃぐしゃと撫で、通りの向こうのマッコリ屋に向かって悠々と歩いて行った。小僧扱いされたのが恥ずかしくもあったが、気分は悪くなかった。年齢も地位も俺の方がずっと下だということもあるが、彼には人を引きつける生来の魅力があった。

俺は何気なく、ガンヨプとキキが並んだ様子を想像してみた。才能と美貌を兼ね備えた二人はお似合いだった。美しい妖婦を手に入れた男なら、真昼の通りで堂々と阿片を吸う胆力ぐらいはあってもいいのではないか？　阿片と聞くだけで拒否反応を示すというキキは、どうして阿片中毒者とばかり付き合うのだろうか？　ショー団員たちが暇さえあれば非難するように、頭がからっぽの女だからだろうか？

それならば、彼女のまぶしく光る才能はどこからくるのだろうか。からっぽから美しさが生まれるアイロニーは、キキが女だから成立するのだろうか。考えるほどにわからなくなった。俺は女のことをよく知っているガンヨプが羨ましくなった。


俺が北斗興行でヘルパーとして働きだしてから二か月目に、米軍の定例オーディションの日程が発表された。毎年四か月から六か月に一度のペースで開かれる定例オーディションの日程が決まると、プロダクションは戦時非常体制に突入した。オーディションを戦争にたとえるのは、決して大げさではなかった。米軍の将校たちが審査を直接行うこのオーディションには、全国の数百人にのぼる八軍専属芸能人はもちろんのこと、芸能人を派遣するプロダクションの命運もかかっていた。

アメリカは、世界各地にある米軍基地内のクラブで公演する現地の芸能人を、米軍基地に納入される物資と同じような商品と考え、徹底した品質管理を行った。芸能人を商品扱いするというのもひどい話だが、そもそも韓国のプロダクションは商工部傘下の軍納入業者として登録されていたので、自然な流れだった。定例オーディションで審査員を務める米兵は全員がアメリカの音楽大学を卒業したり、声楽や器楽分野で現場経験を積んだりした専門家だった。そこにアメリカ本土から来韓した芸能専門家までもが加わり、豪華な審査員団が構成された。

このように厳しいオーディションによって歌手とバンド、ショーガールたちの「クラス」、すなわち等級が決められた。Aが二つついた最上級の「ダブルA（AA）」から最低のCクラスまで計四つのクラスに分けられ、それぞれドルで報酬が決められていた。プロダクションから所属する団員に支払われる給料は、基本的に米軍の定例オーディションで決まるドルの基本報酬をもとに会社の裁量で決められるため、八軍の芸能人の命運は全面的にこのオーディションにかかっていた。これに加えてオーディションでは番外のDクラス、つまり落第も存在した。Dクラスになった落第芸能人は次のオーディションの参加資格を奪われた。落第すれば半年から一年は基地内のクラブで演奏できず、基地周辺や一般のクラブでしか公演できないようになっていた。そのため、オーディションに落第した芸能人は稼ぎを失うのはもちろん、名誉にも傷がつかざるをえなかった。

収入がかかっているだけに、定例オーディションの日程が発表されると団員たちは尻に火がつき、練習に邁進した。オーディションの落第は芸能人として大変な不名誉でもあった。全国に点在する数十の芸能プロダクションから数百人を超える芸能人が参加し、何よりもアメリカ人の専門家が直接審査するオーディションで実力を評価される場だからだ。

キキ・キムのようなトップシンガーは、AAクラスを死守することでこれまでの人気が偽りではないことを証明し、さらに人気を集めてプロダクションを繁盛させた。AAクラスの芸能人に支払われる報酬とCクラスの芸能人に支払われる基本報酬には二倍近い差があり、会社がブッキングする公演の回数にも違いがあった。AAクラスの芸能人は週一日の休みもなく公演予定が連日詰まっている反面、Cクラスの芸能人は週一日や二日しか舞台に上がれなかった。それゆえに一度Aクラス以上になったスターはよほどのことがなければ落ちることはなく、反対にCクラスから這い上がるのは至難の業だった。このような面で、米軍の定例オーディションは名門学校の入学試験と似ていた。

もちろん最下位のCクラスだとしても、バンドならグループあたり四十五ドル、ショー団の場合は七十五ドルの報酬が支払われた。これを韓国の通貨に換算すると、民間人には想像もできないほどの大金だった。米軍が支払ったギャランティをプロダクションが精算し、最終的に団員個人が受け取る月給は最低のCクラスのバンドメンバーで一人あたりおおよそ十万ファンだったが、それなりの家の家賃が月四、五千ファン程度だったから、とてつもなく高額だった。AAクラスのバンドマン、その中でもバンドマスター、すなわちショー団長の場合は月給が三十万ファンにもなった。

八軍の芸能人たちが食事のたびに華商〔華僑が営む中華料理店〕で高価な高梁酒を空け、一回に数万ファンをツケ払いにする豪華な生活を送れるのは、このような理由からだった。なんといっても、米軍のオーディションを受ける機会を得たという事実だけでも十分に誇れることだった。

「ミスター・ホンの旦那は大したものだぜ。専務だからこれ以上オーディションを受ける必要もないし」

「あいつが今さらオーディションを受けてどうなる？　Cクラスに入るのがやっとじゃないのか？」

「Cクラスだなんて、とんでもない！　落第に決まってるさ。この前の酒席でサックスを吹いてたけど、まともに音も出てなかったぜ」

定例オーディションを前に神経をとがらせている先輩たちは、ミスター・ホンが席を外した途端に悪口を並べ立てた。

「ホンのカミさんもかわいそうにな。あんなに稼いだカネを全部阿片と博打につぎ込んで、子どもたちの学費が足りずに苦労してるよ。俺にまでグチるなんてよっぽどだな」

「どうして人妻がよその男を捕まえて哀願するんだ？　おまえらそういう関係なのか？」

「おい、笑わせるなよ。旦那を捕まえるために会社まで探しに来て無駄足を踏んだのを慰めてやったら、俺を捕まえて二時間以上も憂さ晴らしだろ、まったく死ぬかと思ったよ」

しゃべりまくるパク・ジュンチョルに、弟のジュンソクが怒鳴った。

「兄貴は一体全体どうしてあいつにカネなんか借りたんだ？」

ジュンチョルは、年がら年中酒が抜けずに赤いままの鼻をぼりぼりと掻きながら言い訳した。

「酒が悪いんだ、酒が」

「阿片よりかは酒の方がましだろう」

「いや、阿片のおかげで名演奏する奴もいるよ」

イ・ガンヨプが顎で部屋の隅に座った男を指した。そこには当年四十歳のギタリスト、オ・チョルシクが年代物のエレキギターを抱えてぼんやりと座っていた。棒きれのように痩せたチョルシクの顔色は、冥土の使者のようにどす黒かった。あまりに口数が少ないので初めは口がきけないのかと思ったが、オ・チョルシクは阿片中毒だらけの芸能界でも筋金入りの中毒者だった。ソウル市内のリハビリ施設や麻薬中毒者の収容所を転々とするうちに妻に逃げられ、七十を超えた老母と二人きりで暮らしているという。廃人同然のチョルシクがニュースターダストバンドに残っている理由はただ一つ、実力のおかげだった。普段は手が震えて箸も持てないほどの男が、阿片の注射一本で意識がはっきりし、ウェス・モンゴメリーやロイ・オービソンが乗り移ったようなギター名人に生まれ変わるのだ。

「チョルシク先輩はもともと天才だからな。ホンなんか足元にも及ばないよ」

ガンヨプの言葉に団員たちはうなずいた。俺は聞こえていないかのように雑巾がけに精を出しながら、会話に耳を傾けた。神経質な団員の一人が俺に忠告した。

「おいおまえ、ここで聞いたことを考えなしにしゃべるなよ」

「そいつなら大丈夫、何も知らないお坊ちゃんだからな」

ガンヨプが割り込んだ。おかげで俺を責めようとしていた団員も笑ってしまった。

「飯でも食ってこようぜ。スタミナつけて仕事しないとな」

パク・ジュンチョルが尻をはたいて立ち上がり、弟のジュンソクとイ・ガンヨプを呼んだ。今日の夜に入っている公演はスモールショーだった。バンド全員が演奏するフルバンドの代わりに、パク兄弟とイ・ガンヨプ、オ・チョルシクなど六、七人がコンボバンドで出演する予定だった。彼らはニュースターダストのバンドマンのうち最も人気があり、実力もある精鋭メンバーだった。そして今日のメインシンガーはもちろん北斗興行の星、キキだった。

「チョルシク先輩も飯食わないと」

ジュンソクが近づいて話しかけると、チョルシクは石仏のような姿のまま何も答えなかった。ジュンチョルがチョルシクを無理やり立たせ、肩に背負うようにして連れ出した。チョルシクの黒く痩せた顔やぶるぶると震える手が、昔工場で見た阿片中毒の先輩とそっくりで、見ているこちらがはらはらした。近いうちに大変なことが起こってもおかしくなかった。

その日の夜、団員たちは予定どおり龍山基地の中にあるクラブに到着し、ショーの準備に入った。キキも今回は時間どおりに現れた。「キムチカバナ」という名前のこのクラブは酒類を取り扱う一般クラブで、酒類を一切扱わない、いわゆる社交場としての格を備えたサービスクラブに比べると施設のレベルや規模はかなり劣っていた。それでも、キキを目当てにやってきた米兵たちの数はクラブを満員にしてもお釣りがくるほど多かった。

「大変だ！」

楽屋で最後の支度をしているところで、ジュンチョルが驚いて声をあげた。みんなで走って行くと、チョルシクが床に大の字で倒れていた。目を閉じて気絶したまま口からは白い泡を吹き、片方の袖を肩までまくり上げた腕には血が流れていた。自分でヘロインの注射を打つ途中で意識を失ってしまったようだ。団員たちは気絶したチョルシクの頬を叩いて冷水を飲ませたり、鼻の下にタイガーバームを塗ってみたりとあらゆる方法を試したが、ぴくりともしなかった。幸か不幸かミスター・ホンはクラブの司会者にプログラムを伝えるために席を外していた。

「えらいことになったぞ、どうしよう」

いつも冷静沈着なジュンソクが冷や汗を流して困っている姿を見ても、事態は深刻だ。他の団員たちも右往左往していた。それもそのはず、十数人が演奏するフルバンドなら団員が一人やそこら抜けてもごまかすことができるが、六人のコンボバンドでギターが抜ければ目立たないはずがなかった。しかも、チョルシクはコンボバンドの主役といえるリードギターだったのだから。ミスター・ホンが烈火のごとく怒るのは必至だった。

団員たちは椅子を二つ並べてチョルシクを寝かせた。彼の意識は回復しそうになかった。強い阿片の作用で血液の循環が止まり、顔色は鉛のように青かった。正直なところ、俺の目には今にも死んでしまいそうに見えた。しばらくしてミスター・ホンが楽屋に戻り、様子を見て仰天した。

「これはいったい、何事だ？」

団員から事情を伝え聞いたミスター・ホンは飛び上がらんばかりに腹を立て、意識を失って倒れている人間の心配はこれっぽっちもせずにあらゆる悪態を浴びせた。怒りを抑えられずに息を荒(あら)らげていたミスター・ホンは突然、俺とウギに向かって尋ねた。

「おまえたち、楽器を弾いたことはあるか？」

「え？　楽器ですか？」

ウギがすっとんきょうな声をあげた。ミスター・ホンはウギの頭に拳をめり込ませながら、ヒステリックに叫んだ。

「聞こえないのか、楽器を弾いたことはあるかって聞いてるんだ！」

ウギがまた殴られるかと怖くなった俺は、反射的に手を上げた。その瞬間、ミスター・ホンはもちろん、部屋にいた全員の視線が俺に向いた。

「おまえ、楽器が弾けるのか？」

「はっ、はい」

嘘ではなかった。ただし習った楽器がギターではなくバイオリンだっただけだ。

「こいつに服着せてギター持たせろ、さあ早く！」

ミスター・ホンが命令するやいなや、ショーガールたちが走り寄って気絶したチョルシクの体から舞台衣装を脱がせて俺に着せ、ギターを肩にかけてくれた。あっという間に俺はギタリストに変身した。面食らっている俺にジュンソクが近づいた。

「おまえ、ザ・ベンチャーズは知ってるだろ？」

俺は生唾（なまつば）を飲み込んで首を縦に振った。

「はい」

「それなら〈ギター・ブギー・シャッフル〉は当然知ってるな？」

「はい」

「よし。これからおまえはベンチャーズのボブ・ボーグルになるんだ。わかったな？」

「はい」

ジュンソクはにっこり笑ってうなずいた。優しい口調にほっとしたのもつかの間、楽屋の外では米軍の司会者が英語でまくし立て始めた。緊張と恐怖で心臓が張り裂けそうだった。一介のヘルパー風情がボブ・ボーグルになるなんて。天下のニュースターダストの団員たちと同じ舞台に上がるだなんて。

イ・ガンヨプが、ぶるぶる震えている俺の背中を叩きながら応援した。

「緊張するな。メロディは俺たちが弾くから、おまえはポーズだけ取って立ってるだけでいいよ。男はカッコつけてなんぼだぜ」

初めて嗅ぐ香水の香りが漂ってきた。いつの間にかキキが俺のそばにいた。彼女は俺の肩からずり落ちたギターのストラップを直してくれた。真っ赤な口紅をていねいに引いた唇が開き、俺に言った。

「ギター、似合ってるわよ。あんたカッコいいじゃない。ねえ？」

そのとき、キキがそう言いさえしなければ、俺はすぐにギターを放り出して一目散に逃げ出していたかもしれない。男のメンツも何もかも捨て、団員に無理だと泣きながら訴えていたかもしれない。しかし、キキが聞かせてくれた賞賛の言葉は台風になってすべての恐れを吹き飛ばした。

俺はステージに駆け上がった。まぶしいスポットライトが太陽のような熱でまぶたを焼いた。ジュンチョルが椅子から立ち上がり、力強くドラムスティックを振りかざした。ジュンソクが特有のクールな表情でベースのリズムに乗り始めた。米兵たちの激しい歓声がステージを包んだ。ギターのネックを握る俺の手はぶるぶると震え、汗が止まらなかった。次第に霞(かす)んでいく俺の意識をつなぎとめたのはルビーのように真っ赤な唇、キキの唇から流れ出たささやきだった。

ギター、似合ってるわよ。あんたカッコいいじゃない。ねえ？

「最高だ！」

楽屋に戻るやいなや、ウギが大きな拍手をしながら俺を歓迎した。全身汗びっしょりだった。照明で赤く火照（ほて）った俺の顔は熱を発し、早鐘を打つ心臓の鼓動はなかなかおさまらなかった。ジュンソクが俺を褒めちぎった。

「よくやった。なかなか決まってたぞ」

ようやく安堵のため息をついた。俺はなんとか任務を完遂したようだ。十分少々の短い時間、俺なりに最善を尽くしてボブ・ボーグルになりきった。弦楽器という点ではバイオリンとギターに大きな違いはないと自己暗示をかけ、素手でギターの弦をかき鳴らしたのだ。もちろん俺のギターのケーブルはアンプスピーカーにつながっていなかった。

「おまえのおかげで助かったよ。かわいい奴め」

ジュンチョルが俺の頭を撫でながら褒めたたえた。ガンヨプが意味ありげに尋ねた。

「おまえ、どこでギター習ったんだ？」

「いいえ、習ったことありません」

「じゃあ、ミスター・ホンに出まかせ言ったのか？」

目を丸くしたガンヨプに、ギターではなく別の楽器を習ったと白状しようとした瞬間、ミスター・ホンが入ってきて会話を打ち切った。

「次の舞台のスタンバイだ」

「僕ですか？」

「ああ、おまえだよ」

頭がくらくらした。虎穴に頭を突っ込んでなんとか抜け出したというのに、もう一度同じ曲芸を繰り返せだなんて。チョルシクはまだ意識不明のままだったから、どうしようもなかった。ステージ用のドレスに着替えたキキが俺を見て喜んだ。

「あんた、やるじゃない。本物のボブ・ボーグルみたいだったわよ」

熟れきった柿のように赤くなって慌てふためく俺を見て、団員たちが大笑いした。ジュンソクがすかさず言った。

「メインステージの内容はこうだ。一曲目は〈ペーパー・ローゼズ〉、二曲目はシュレルズの〈ソルジャー・ボーイ〉。続いてリトル・エヴァの〈ロコ・モーション〉。最初のアンコールはエルヴィスのメドレーとナット・キング・コールの〈恋に落ちた時〉、フィナーレに〈ダニー・ボーイ〉を全員で合唱。それほど難しい曲はないから、そう緊張するな。どうせ観客はキキに夢中だろうからな」

神の助けか、全部俺がよく知っている曲だった。すぐに二回目のステージの幕が上がった。キキは一糸の乱れもなくショーを終えた。ショーは無事に終わったが、万が一、目ざとい米兵があの新入りはどうしてギターを弾く真似だけしているのかとミスター・ホンに抗議したらと、俺はステージを撤収するまで落ち着かなかった。幸いにしてそんなことは起こらなかった。無事に会社に戻り、荷物を片付けている俺にジュンチョルが話しかけた。

「おい、おまえも行こうぜ！」

「え、どこにですか？」

「これから夕食に行くところだよ。我らがチョルシク先生は阿片で病床に伏してるし、他の奴らはカミさんがうるさくて家に帰るっていうから、おまえも一緒に来いよ」

「そうだよ。今日の公演はおまえも貢献したから、参加資格はあるぜ」

　そうして俺はどさくさまぎれにバンドマンたちにくっついて中華料理屋に行くことになった。夜十時近くの遅い時間だったが、元暁路（ウォニョロ）の中華料理屋は仕事終わりに訪れる芸能人で不夜城のような賑わいだった。後から知ったことだが、非常に厳しい夜間通行禁止令もトップクラスの八軍芸能人たちは特別に免除されていた。

　三人はさまざまな中華料理に焼酎と高粱酒（コーリャンしゅ）を注文した。テーブルいっぱいに料理が並び、全員で乾杯した。彼らは俺にも酒を注いでくれた。高粱酒は生まれて初めて飲んだ。喉をヒリヒリと焼く強い酒の味は、脂っこい中華料理にぴったりだった。一息（ひといき）で酒を飲み干し、げっぷをする俺を見てジュンチョルがげらげらと笑った。

「やあ、こいつ、いける口だな」

　俺たちは愉快に笑って騒ぎ、あっという間に高粱酒一瓶と焼酎五瓶を飲み干した。酒瓶を空にするのに最も貢献したジュンチョルがほんのり赤らんだ顔で歌を歌い始めた。洋楽を仕事にしている男が、酒に酔うと民謡と古い演歌ばかり歌い、その歌唱力は歌手顔負けだった。ガンヨプがジュンチョルと肩を組んで負けず劣らずの絶唱で一緒に歌い始めた。三人のうち一番酒が強いのは最も真面目そうなジュンソクで、焼酎をどれだけ飲んでも顔色一つ変わらず、普段どおりだった。彼がふと思い出したように俺に尋ねた。

「おまえ、名前何だっけ？」

「キム・ヒョンです」

「楽器は？」

「バイオリンを少しやってました」

バーイオリーン？　三人がグラスを置いて異口同音に叫んだ。好奇心に満ちた目で俺を見つめる彼らに向かって、俺は急いで手を振った。

「バイオリンといっても小さいときにちょっと習っただけです。もうすっかり忘れました」

「いやあ、家でバイオリンを習わせるなんて、金持ちのお坊ちゃんだったんだな」

バイオリンの話題をきっかけに、三人は俺にあれこれ本格的に尋ね始めた。

「故郷はどこだ？」

「生まれたのは満州の新京（しんきょう）ですけど、赤ん坊の頃に南に来たんでソウル生まれも同然です。父の故郷は咸興（ハムフン）で……」

俺は父さんがどんな仕事をして、母さんがどうやって亡くなったかをはじめ、叔父の家での居候生活のことまで話した。叔母から食べ物も与えられずにいじめられた話では、見苦しいことに涙ぐんだりもした。酔いと久しぶりに食べた脂っこい食事、それよりもっと久しぶりに感じる人情が、俺の心の鍵を開けた。

「ギターは弾かないのか？　バイオリンが弾けるならギターなんて朝飯前だろうに」

ガンヨプの質問に俺は首を横に振った。

「本当に弾けないんです。そりゃあ習ってみたいけど、ギターもカネもないし、俺なんかがそんな……」

パク兄弟が俺を励ました。

「努力さえすればすぐにうまくなるさ」

「おまえの今日のフォームを見るに、すぐ上達しそうだぜ」

「そうだよ、ガンヨプに習えばいいじゃないか」

「俺に習うなら授業料払えよな」

俺は正面に座ったガンヨプを見た。長い脚を組んで座り、使いもしないマッチを続けざまに燃やす彼は、ジェームズ・ディーン顔負けの男前だった。ぴったりと体に張りつく、腰のくびれたチャイナドレス姿の華僑の女社長は、帳簿をつけるふりをしながらガンヨプに秋波を送り、ウェイトレスもガンヨプをちらちら見ながら中国語でささやいて笑い合った。俺もギターを習えば彼のようになれるだろうか？　女たちの目に、正確にはキキの目に留まるように。ギターの値段はいくらぐらいだろうか。中古で買えば少しでも安くなるだろうか。酒に酔った頭の中でそろばんを弾いていると、突然ジュンチョルがテーブルを手のひらで叩いて大声をあげた。

「よし決めた、独立するぞ！」

「突然何言いだすんだよ、兄貴？」

「ここにいるヒョンも加えて、新しく始めればいいじゃないか。全部で四人だからちょうどいいよ。韓国のベンチャーズになるんだ」

「ギターも弾けない奴を入れてどうするんだ？」

ジュンチョルは、弟が止めるのも聞かずに赤ら顔を俺の鼻先に近づけて言った。

「小学生時代にバイオリンを習った神童にはギターなんて簡単だろう。俺は人相占いが得意なんだが、おまえの顔は必ず大成する顔だよ。どうだい、ヒョン。俺たちと一緒にコンボバンドを組まないか」

俺はなんだか面白くなってヘラヘラ笑った。この男、相当酔ってるな。ガンヨプがジュンチョルに負けじと話に乗ってきた。

「いいじゃないか。バンド名はどうする？」

「ようし、キム・ヒョンにイ・ガンヨプにパク・ジュンチョル、パク・ジュンソク。韓国の三大姓が集まったから《クラブ金李朴》はどうだ？」

「シンプルに《金李朴バンド》にしないか？」

二人の話を黙って聞いていたジュンソクが割り込んだ。

「金李朴だなんて田舎くさい。ヤンキーどもがさぞかし喜ぶだろうな。前にバンド名を決めておいたのがあるじゃないか」

「《クールキャッツ》か？　そんな名前のバンドはもうあるぜ。他のバンドと同じ名前だなんてプライドが許さないな」

「《キムチズ》はどうだ。ありがちか？」

結局ジュンソクも加勢してその場でバンド名をつけようと大騒ぎになった。当然酔った席での冗談だと思っていた俺は、次の日に会社でジュンソクの話を聞いて気絶しそうになった。

「うちの兄貴は軽いように見えても、仕事に関してはふざけたことは言わない男なんだ。おまえはこれから俺たちと一緒にコンボバンドをやる。そのときになれば一緒に舞台に立つんだから、それまでに資格を備えておけよ」

「資格だなんて……」

「まずはギターを手に入れるんだな」

そう言うと、ジュンソクは俺に手の切れそうな新札の百ウォン紙幣を三枚手渡した。突然あぶく銭を得た俺は、どうすればよいかわからなかった。

「俺なんかがおこがましくバンドなんてできませんよ。この年になるまでまともに習ったこともない楽器を……」

ジュンソクは細い目を四天王のようにひんむいて言い放った。

「初めての経験をしたことのない奴なんているか？　才能さえあれば年齢は関係ないさ」

才能だなんて。生まれて初めて聞く言葉のように耳慣れなかった。才能という単語は父親を思い出させた。父親は幼い俺に音楽的才能があると見込んでバイオリンを習わせたが、それはどこまでも親の欲目で、専門家の所見によるものではなかった。そのバイオリンさえも最後に弾いてから十数年になるのに、今さら錚々(そうそう)たる一流バンドマンが俺に天賦の才を見いだしたなんて、こんな話があるだろうか。父親が生きていてこの事実を知ったらどれだけ喜んだことだろう。

俺はすっかり浮かれてしまった。次の休日に鍾路(チョンノ)の楽器店に行き、中古のピックギターを買った。きちんとギターの勉強をするなら弦を指でつま弾くクラシックギターから始めるのが真っ当だが、実際にはジャズの演奏に向いたピックギターから練習する方が実力が早く伸びるということだった。何人の手に渡ったかもわからないほどがらくた同然のギターだったが、人生初のギターにはおあつらえ向きだった。

後々、俺はパク・ジュンチョルとジュンソク兄弟の故郷が俺の父親と同じ咸鏡道(ハムギョンド)だということを知った。

4. 今日は笑おう、泣くのは明日

一九六二年八月。マリリン・モンローが自宅で睡眠薬を過剰摂取してこの世を去った。世界中が彼女の死を悼むなか、真夏の招かざる客、台風は果たして朝鮮半島にやってきた。宝石から取った「オパール」という名に似合わない強力な台風によって多くの被災者が家や田畑を失い、物価はどんどん上がった。台風とともに訪れた蒸し暑さで、腸チフスと脳炎が猛威をふるった。二か月前に施行された貨幣改革まで重なり、世は大混乱だった。旧券のファンと新券のウォンの切り替えで損をした人が自殺する事件が続発した。政府は物価調整に関する臨時措置法を公布したが、物価の上昇を食い止めるには力不足だった。台風で山河が滅びたなかでも、全国体育大会開催のための工事は強行された。軍事革命政権の軍人たちは、戦後〔朝鮮戦争後〕の混乱のなかで新たな秩序を確立させようと東奔西走した。解放から続いてきた長い混乱に疲れた民衆は、革命と再建という理想的価値に期待をかけていた。これまでのところは。

八軍芸能界に飛び込んでからというもの、世事の道理は俺とは関係のない話になった。向こう見ずに自立を望んだ俺の飢えた世界は、芸能界でついに目標を見いだした——ギターを習ってプロのギタリストになる。親もきょうだいもいない俺の人生で、音楽は唯一の友だった。音楽は裕福だった幼い頃の思い出を再生する映写機であり、肉体の苦痛と心の傷から逃避させてくれる麻薬だった。音楽の世話になってばかりの人生から一歩進んで、俺と似た境遇の人々の心を慰めることができたらこれ以上のやりがいはないだろうという理想主義もあった。

だが、人をステージの上に立たせる根本的な力はかぎりなく本能的で肉体的なものだった。すべてのタンタラ〔芸能人を指して「河原者」のように主に見下すニュアンスで用いられる〕の霊魂に刻まれた烙印、俗に〝気〟と呼ばれるその才能は、最初は異性の関心を引こうとする青二才らしい欲望から始まった。ショーを重ねるほどにその欲望の図体は膨らんでいき、数百数千の聴衆の割れんばかりの喝采を渇望するようになった。ステージの上で宗教の教祖のように神がかりになり、人間を超越して神に近づこうとする欲望。タンタラの野生の気が到達する究極の地点には、むしろ宗教的な崇高さがあった。

俺は音楽を生涯の友としながらも、自らをタンタラだと考えたことは一度もなかった。ほとんどの音楽愛好家は俺と同じだろう。けれども凡人にも最小限の才能は潜んでいるものだ。それは肉体を縛る規律から抜け出したがる欲望、他人の愛情と関心を求める人間の最も基本的な欲望だった。ダンスホールで何かに取りつかれたように踊る大学生や主婦、大人の賞賛を得たくて愛嬌を振りまく子ども。彼らの多くは生涯、芸能界と縁のない平凡な人生を送るが、それもまた才能だといえるだろう。

ニュースターダストショー団とキキ・キムは、平凡な俺の内面深くに眠っていた小さく密かな本能を刺激した。芸能界という別世界を垣間見るだけでも畏(おそ)れ多かった俺に、彼らは情け深くも手を差し伸べてくれた。太陽に焼かれたとしても、一度は彼らのように飛んでみたかった。

俺は暇さえあればギターを抱いて独学した。南大門のヤンキー市場でアメリカのギター教本と楽譜を手当たり次第に買い漁り、練習を繰り返した。パク・ジュンチョル兄弟が大風呂敷を広げたとおり、いくらも経たずに俺はコード進行が簡単な数曲をつま弾けるようになった。幼い頃に楽譜の読み方と和声学の基礎を習っておいたのは大きな財産だった。近所に住むジュンソクがときどき俺の部屋を訪ねてきて、家庭教師をしてくれた手柄も見逃せなかった。彼は俺が昔習ったバイオリンの先生を思い出させる厳しい先生だった。授業料を一銭も受け取らないボランティアだったから、ありがたいかぎりだった。目標にする曲はもちろん、ベンチャーズだった。八軍クラブの人気レパートリーであるベンチャーズの代表曲は、ギタリストの実力の目安になった。

結果的に酔った勢いのようになったが、パク兄弟とイ・ガンヨプはずっと前から、独立して自分たちのコンボバンドを結成する計画を立てていた。近頃コンボバンドが一大流行を巻き起こしているところでもあったが、何よりも彼らが北斗興行に抱いている不満はかなりのものだった。芸能人がプロダクションに抱く不満の要因は数えきれないほど多かった。内訳がさっぱりわからない月給の分割比率も、あれこれ言い訳をしては差し引かれる手数料も、事前に通知なく勝手に変わる公演スケジュールや内容まで、積もり積もった怒りは限界に達していた。

いくらミスター・ホンが北斗興行のショー団長として神をも恐れぬ権力を持っていたとしても、パク兄弟とイ・ガンヨプもまたニュースターダストバンドで五本の指に入る実力派だった。実力が足りなければ黙ってニュースターダストの名声にすがり、カネを稼ぐ道を選ぶだろうが、彼らはそうする必要がなかった。三人はどのプロダクションに行っても、A級ミュージシャンとして食べていける人材だった。年齢も二十代半ばから後半と、脂の乗りきった時期だ。自分たちがショー団の名声を高めた主人公だというプライドからしても、横暴に耐えながら過ごす理由が見当たらなかったのだ。

コンボバンドに必要最小の構成人員はリードギター、リズムギター、ベース、ドラムの四人だ。彼らは当初、オ・チョルシクを四人目のメンバーに決めていたという。チョルシクのギターの実力は天才的だったが、問題は阿片だった。彼は前回の公演で気絶してステージに穴をあけた後、結局リハビリ施設の世話になった。ジュンチョルたちは他のミュージシャンを誘ってみたが、誰からも断られた。彼らが最終的に俺をメンバーに選んだのは、長年芸能界で飯を食ってきた人々の複雑な利害関係から離れていて、手垢がついていないからという計算もあったはずだ。

俺にギターの才能があると見るや、三人は上機嫌になった。俺たちはアルコールを伴う議論の末にバンド名を決定した。名付けて《ワイルドキャッツ》。イ・ガンヨプは最後まで《キムチクラブ》を推したが、多数決により却下された。俺は「野良猫たち」という意味を持つその名前がすっかり気に入った。親きょうだいのいない俺の身の上は、野良猫と同じようなものだった。犬と違って猫は他人に頼らず、自力で生きていく動物だからだ。

兄さん猫のパク・ジュンチョルは一九三五年生まれで、俺より八歳年上だった。パク兄弟の父親は普成専門学校〔現在の高麗大学校の前身〕を卒業し、府庁で書記として働いたインテリだった。おかげでジュンチョルは恵まれた環境で幼少時代を送った。父親は学者肌のひ弱な印象とは裏腹に、テニスや自転車などスポーツが得意な大酒飲みで血の気の多い人物だったそうだ。彼の一家もまた解放と戦争により浮き沈みを経験した。ジュンチョルの父親は太平洋戦争の末期に徴用された。手をまわせば兵役から逃れることもできたが、家を継ぐ長男の代わりに次男の父親が志願入隊した。満州の後方部隊でソ連軍の捕虜として捕らえられた父親はシベリアまで連れて行かれ、解放から一年以上経ってやっと故郷に戻ることができた。その間に施行された土地改革で家の田畑はすべて没収され、長兄は酒と博打に溺れて半分廃人のようになっていた。故郷にはこれ以上、未来がないと判断した父親は、直系の家族だけを連れてソウルにやってきた。くず鉄を売ってなんとか生計を立てていたところ、朝鮮戦争が勃発した。シベリアの捕虜収容所での生活を耐え抜いた父親は、南山〔ソウル旧市街の南に位置する低山〕を越えてくず鉄を拾いに行ったところで爆撃に巻き込まれて両足を失い、余生を布団の上で過ごして亡くなった。母親は子どもたちを抱えて身を粉にして働き、父親の薬代と息子たちの教育費を稼いだ。

ジュンチョルは勉強はできなかったが、他のところで早くから才能を発揮した。中学生時代に吹奏楽部で習ったドラムの腕前を生かし、十六歳で八軍ショー団に入った。当時、米軍クラブでの彼の人気は大変なものだったという。ショー団はジュンチョルにドラムソロの時間を与えたが、興に乗れば椅子の上に立ってドラムを叩く少年は最高の見ものだった。

ジュンチョルの弟、パク・ジュンソクは俺より二歳年上の一九四一年生まれで、兄について米軍基地に出入りし、西洋音楽に出会った。母親は幼い頃から芸能の才能を発揮した長男のことはあきらめても、純朴な優等生の次男だけは勉強させて必ず父のような公務員にしようと厳しく育てた。しかし一度心を決めた優等生は、母親以上に頑固だった。棒が折れるほど叩かれ、真夏に蛆(うじ)が湧いた甕(かめ)に腰まで浸からされる罰を与えられても十四歳のジュンソクは初志貫徹し、結局母は降参した。独学でギターとベースを学んだ彼は、兄に続いてバンドマンになった。性格も見た目も兄とは正反対だが、芸事の才能だけは兄にそっくりだった。八軍芸能界で二人は珍しい兄弟コンビとして人気を集めた。稼いだそばから酒代に使ってしまう借金まみれの兄の代わりに、ジュンソクは堅実に資産を管理した。そして、貯めたカネで母のために「牡丹(ぼたん)」という名前の喫茶店を開いてやった。

四〇年生まれのイ・ガンヨプは、生まれながらの野良猫だった。中学生の頃から女遊びをし、不良とつるんで家出を繰り返した末に退学同然で学校を中退した。そしてヤクザの友人と一緒に阿片の密造工場で働き始め、高校に通う年頃にはすでに立派な阿片中毒者になっていた。家を出た一人息子を探しまわった母親と伯父に捕まった彼は、ソウル市立麻薬治療所に収容され、悪夢のような時間を過ごした。麻薬治療所の収容の実態はきわめて劣悪だった。その上、彼が収容された年は記録的な寒波がソウルを襲い、そこで知り合った十六歳の友人が禁断症状に苦しんだ末、隣で凍死した姿を目の当たりにしたことをきっかけに、ガンヨプは心を入れ替えて阿片を断った。

治療所を出て母親が切り盛りする居酒屋で真面目に働きだしたのもつかの間、タンタラの血が騒ぎ始めた。居酒屋で勘定をしながら少しずつふところに入れたカネでギターを習ったガンヨプは、有名ジャズバンドのオーディションに合格した。その後は運がまわってきた。ギターの実力もあったが、すらりとした背丈とマーロン・ブランドに似た顔つきが一役買った。

ガンヨプのハンサムな顔と気前のよさは父親譲りだった。大邱(テグ)の大地主の家の末っ子として生まれ、十歳になるまで家政婦の背中に負われて小学校に通ったという父親も、世の荒波は避けられなかった。太平洋戦争に徴用され、下関から大阪まで連れて行かれて帰郷するまで二年、運よく五体満足で戻った代わりに、朝鮮人徴用兵の間で流行した博打と阿片を覚えてきた。幼いガンヨプが初めて阿片を覚えたきっかけは家のあちこちに転がっていた父の阿片タバコだったというから、何をか言わんやだ。阿片のせいでしばらく無為に歳月を過ごした父親はある日、大金を稼いでくると全財産をかき集めて密航船で大阪に向かい、一年も経たずに一文無しになって戻ってきた。その後も何かといえば事業を始め、店を出すという名目で財産をじわじわと食い潰したところで朝鮮戦争が始まった。国軍の兵士を招集するという噂が街に広がると、徴用と聞いただけで震え上がった父は母にも黙って夜逃げしてしまった。戦争が終わる頃に伝わった父の消息は、釜山で新しい家庭を持ったということだった。母は病に伏し、それをきっかけにガンヨプは本格的に道を踏み外し始めた。

「釜山の女とも別れて、今は生きてるか死んでるかもわからないよ。どこかで生きてるとしたら女に食わせてもらってるだろうけどな」

ガンヨプは他人事のように話したが、とにもかくにも阿片を吸う姿だけは絶品だった。

人生の目標ができるというのは、驚くべき経験だった。どれだけ仕事が大変でミスター・ホンが横暴でも、もうすぐ正式にギタリストになり、三人の先輩と並んで舞台に立つと考えると少しも辛くなかった。他のプロダクションからこれ見よがしにコンボバンドでデビューした俺たちを見て、ミスター・ホンはどれだけ悔しがるだろうか？　バンドマンでもないヘルパーが堂々と舞台に立つ姿を見て、はらわたが煮えくり返るだろう。バラ色の未来を想像すると、退屈な床の水拭きをしながらも口元が緩んだ。

ショーを見物するときも、心構えが以前とは段違いだった。俺はギタリストたちの奏法やステージマナーを綿密に観察し、研究した。競争の激しい米軍の定例オーディションを通過するには、最低でも三十曲は基本レパートリーとして自由自在に演奏できなければならず、ライバルを出し抜いて最新曲をマスターする作戦も必須だった。俺は睡眠時間を削ってギターの練習に精を出し、毎日夜遅くまでＡＦＫＮを聴きながら英語の発音を練習した。俺の生真面目さがこういうところで役立った。

心がはやるのは先輩たちも同じだった。休日を前に、俺たち四人は南山（ナムサン）に親睦会に出かけた。五月に開通したばかりのケーブルカーは、黒山の人だかりだった。

「さっさと列に並べよ、末っ子」

ジュンチョルの命令に、俺はすぐに走って列に並んだ。遠く向こうに「ロープウェイ」という看板を掲げたケーブルカー乗り場は、休戦ラインを越えて北の地に行くかのように遠かった。蛇（へび）のようにとぐろを巻いた列の最後尾からは、軽く一時間以上かかりそうだった。前の方では割り込んだの何だのと小競り合いが勃発し、日差しの下で並ぶのに疲れた女性たちは地面に座り込んで持ってきた果物を食べた。二台のケーブルカーが尾根を横切って上り下りするたびに、人々は一斉に動きを止めて歓声をあげた。

「あんな鉄の箱に乗るのに二百五十ウォンも払うのか。乗ってもせいぜい五分もかからないって？　公園にでも行った方がましだな」

「乗ってもいないのに、いい加減なこと言うなよ。あれに乗れば南山のてっぺんからソウルが一目で見渡せるんだぜ」

汗に濡れたシャツの襟元を直しながら文句を言うガンヨプに、麦わら帽子をかぶったジュンチョルが自信満々に言った。俺も生まれて初めて乗るケーブルカーが楽しみで、日差しの中で並ぶのはなんともなかった。

「ああ、暑い。ケーブルカーに乗る前に茹（ゆ）だって死にそうよ」

鈴を転がすような声が、暑いさなかに飲む氷水のように頭の中でキーンと響いた。つばの広い帽子で顔を半分隠し、真っ黒なサングラスをかけた女がガンヨプのそばに立っていた。キキ・キムだ。地面にしゃがんでいた俺は慌てて尻を払い、立ち上がった。キキはジュンチョルにいたずらっぽく挨拶した。

「ワイルドキャッツの初の親睦会にご招待くださるなんて、恐縮ですわ」

「トップシンガーをお迎えする俺たちこそ、畏れ多いよ」

キキが来るなんて聞いてないですよ。俺が耳打ちすると、ジュンソクは勝手に来るっていうのをどうやって止めるんだと肩をすくめた。キキが先に俺に挨拶した。

「こんにちは、ボブ・ボーグル。最近、ギターの特訓中なんですって？」

俺はどうしていいかわからずにうなずいた。考えてみればキキは俺より一歳年下なのに、ずいぶんと馴れ馴れしかった。そんな態度が板についているキキは、やはりスターだった。案の定、ジュンソクがこう指摘した。

「ヒョンは二十歳だぜ。タメ口はやめろよな」

「あら、それは失礼しました。お名前何だったかしら？」

キキはすぐに謝って俺に手を差し出し、握手を求めた。赤ん坊のように小さくか細い手が俺の手の中にすっと入り、すぐに抜けた。俺はめまいを感じながら答えた。

「キム・ヒョンです」

「いいお名前ですね。下の名前の漢字は鉉？」

「ええ、そうです」

「何をそんなにかしこまってるの？　私より一歳年上じゃないですか」

キキはけらけらと声をあげて笑った。笑い声もいつも涼（すず）やかだった。歌うときのあの落ち着いたハスキーボイスはどこから出てくるのか、不思議だった。キキが笑うと、先輩たちもつられて笑った。男ばかりのむさ苦しい集団に女性が一人入ると、途端に楽しくなって並ぶ時間もあっという間に過ぎた。

ケーブルカーの乗り場が目前に迫った頃、俺たちの後ろに並んでいた男がキキに話しかけた。男はしばらく前から彼女をじろじろと盗み見していた。

「姉ちゃん、もしかして歌手じゃないか？　ほら誰だっけ？　なんとかキム？」

すると、ガンヨプがキキの前にさっと出て目をひんむいた。

「何だと？」

「歌手の誰かとあんまり似てたもんだから。失礼しました」

男はきまり悪そうに元の位置に戻り、キキは拳を口元に当てて声を殺して笑った。並んだガンヨプとキキは、おめかしをして出かけた若夫婦のように見えた。そういえばキキはミスター・ホンとは別れたのだろうか？　あの意地汚いミスター・ホンが、キキを黙って手放すはずがないのに。不埒な想像に溺れかけた瞬間、ケーブルカーに乗る順番がまわってきた。電車一両の半分の大きさしかない小さなケーブルカーに数十人が乗り込むと、満員電車のようなすし詰め状態になったが、窓の外の景色に気を取られて誰も腹を立てなかった。

モーターの回る音とともにケーブルカーが動きだした。ケーブルカーは一本のロープにぶら下がって山の斜面を上り始めた。下から見物するときはなんでもなさそうに見えたが、実際に乗ってみると風でやたらと揺れるのがかなり怖かった。俺の横に立ったキキは、ああ怖い、と小さく叫んで目を閉じた。

「うわあ、こりゃすごいや」

乗る前には、もったいないただの公園の方がましだのと文句たらたらだったガンヨプは、ケーブルカーに乗るやいなや賞賛一辺倒だった。キキはまだ両目をぎゅっと閉じたまま震えていた。その姿がかわいそうで、恐る恐る話しかけてみた。

「怖いなら下で待ってればよかったのに」

「怖いけど、てっぺんから見るソウルの景色がすごく素敵なんです」

「景色は下からでも見られるじゃないですか」

「まあ、それじゃあスリルがないでしょう」

にっこり笑いながら言うキキの前で、俺は中学生にでもなった気分だった。ケーブルカーは、不安定な金属音を立てながら着実に山の中腹を這い上がった。窓の外に見える景色はだんだん範囲が広がり、ケーブルカーが頂上に到着すると、広々としたソウル都心の風景が視野に広がった。怖い、と目もろくに開けられなかったキキはすぐに元気を取り戻して、あれは南大門、あれは市民会館とガラス窓を地図のように指さし、熱心に話した。俺はソウル見物よりキキを見物するのに夢中だった。普段の円熟味はどこへやら、子どものように楽しそうなキキがとても愛らしかった。こちらの窓からあちらの窓へと移る乗客らに押され、キキの肩や肘(ひじ)が何度も俺の体に当たった。ケーブルカーの四方を回りながら見物を終えたガンヨプが、キキの肩をがばりと抱くと自分の方に引き寄せた。キキが横から離れると、安堵感とともに失望感が押し寄せた。

　ケーブルカーが頂上に到着した。一時は「雩南亭(ウナムジョン)」と名付けられた頂上のあずまやに掲げられた扁額(へんがく)は、「雩南」の号を持つ李承晩(イスンマン)大統領の退陣を求めて起こった四月革命〔一九六〇年〕の際に怒りに燃える学生たちの手で打ち落とされてしまった。その近くに威風堂々と立っていた李承晩の銅像も、市民らの手で引きずり落とされて今は台座だけが残っている。あずまやの周辺は、天気のよい休日にピクニックに出かけた市民でごった返していた。俺たちも近くに座って、売店で買ったジュースやビールを飲みながら遊んだ。キキはビールをすすると本音を漏らした。彼女ももうすぐ北斗興行を辞める予定だと言った。

「先週末に世紀興行の人と話してみたんです。契約書にサインさえすれば、明日にでもウェルカムだっていうのよ。これ、極秘事項ですよ。あなたたちだけに話すから、内密にお願いね」

「もちろんだよ。俺たちがバラしたりするわけないだろ」

　キキは酔って赤くなった顔で水滴のついたビール瓶を両手でぎゅっと握っては、独り言のようにつぶやいた。

「十分我慢したわ。これからは私も自分の人生を生きなきゃ」

新しい人生ということは、ミスター・ホンとも決別することにしたのだろうか？　口には出せない質問が喉元まで出かかった。サイダーと一緒に気がかりをゴクリと飲み込んだ俺の横で、ガンヨプがタバコをくわえたまま意気揚々と言った。

「俺がホンのところに行ってボコボコにしてやろうか？」

「やめてよ」

キキは笑いながら肘でガンヨプの脇腹をつつく真似をし、ガンヨプは大げさに痛がるふりをして笑った。二人を密かに観察していた俺は首をかしげた。二人は間違いなく恋人同士のような雰囲気を醸し出しながらも、仲のよい兄妹のように振る舞っていた。ふと、キキのスカートをめくると狐のしっぽが出てくるという団員の陰口を思い出した。ケーブルカーの中では少女のように怖がったりはしゃいだりしていた、キキの可愛らしい姿も思い出した。数百の顔を持つ女。そんな女を拒める男が果たしているだろうか。

日が暮れる頃、俺たちは山を下りて解散した。俺の勝手な予測に反して、キキはガンヨプとは一緒に帰らなかった。一人でタクシーを捕まえて消えるキキを見ながら、俺は一抹の希望を抱いた。今日一日、キキとガンヨプは手も握らず、腕も組まなかった——しかもアベック族の聖地である南山の頂上でさえも。キキとガンヨプは、世間が噂するような恋人同士ではないのかもしれない。今のところは。たとえ二人の関係が実際は恋愛と距離があるものだとしても、俺が彼女に選ばれる幸運がめぐってくる可能性はかぎりなく低いだろうが。魂を奪われた俺は、そんな妄想だけでも幸せだった。

秋になり、龍山（ヨンサン）基地のサービスクラブで米軍の定例オーディションが開かれた。先輩たちの忠告どおり、俺は必死で試験勉強に臨む覚悟でオーディションの現場を見学した。

今回のオーディションには、計三十七のショー団から約三百五十人が参加した。ステージの前に置かれた机には全部で七人の米国人審査委員が座り、あらかじめ準備された項目に従ってＡＡクラスから落第点のＤクラスまで評価点をつけた。演奏と歌の実力は基本中の基本で、サウンドと演出の調和、エチケット、外見、衣装、英語の発音まですべてが採点対象だった。舞踊団、フルバンド、コンボバンド、コーラスグループ、ソロシンガーに演奏家まで、これまで磨き上げてきた最高のテクニックを披露した。公演が終わると、拍手喝采の代わりに採点票の上を万年筆が滑り、点数をつける殺伐とした音だけが響いた。米軍の将校らで構成された審査委員団のうち、一人だけ上品な背広姿に口髭（くちひげ）を生やした白人が交じっていたが、彼はラスベガスの芸能マネージメント会社から韓国に派遣されてきた社員だった。彼を通じて米国進出が実現するかもしれないということで、芸能人たちは全力を尽くした。

オーディションの間中、俺は感嘆を禁じえなかった。さすがに八軍芸能人たちだった。実力が劣る者は誰もいなかった。それぞれの公演が終わって審査委員が感想を述べるたびに、悲喜こもごもの情景が繰り広げられた。薄氷を踏むようなオーディションの現場で、キキ・キムはトップシンガーらしく頭角を現した。彼女がレイ・チャールズの唱法をほぼ完璧に再現すると、審査委員は満面に笑みを浮かべて拍手を送った。ラスベガスからやってきた社員はキキに握手を求めるほどだった。

「何してるんだ。もう帰るぞ」

オーディションの舞台を夢中で盗み見ていた俺の首根っこを、ウギがつかんだ。もじゃもじゃ頭の少年が、自分の体ほどもあるエレキギターを下げて舞台に上がる姿が俺の見たオーディションの最後の場面だった。最後まで残って見物したかったが、仕方なかった。ミスター・ホンの罵倒の洗礼を受けながら帰り支度をしていると、遠くの舞台からギターの音が聴こえてきた。知らず知らず手を止めて音楽に耳を傾けた。俺がずっと練習しているベンチャーズの〈ギター・ブギー・シャッフル〉だった。遠くからかすかに聴こえてくるメロディだけでも、普通のレベルをはるかに超えた実力者だということがわかった。あんな若造がこんな演奏をするなんて、天下の神童に違いない。先輩たちにあの神童の正体を聞いてみなければと思いながら、すっかり忘れてしまった。

米軍の定例オーディションを終えてからしばらくして、春川(チュンチョン)のキャンプ・ページにあるクラブ「ビッグスター」でのフロアショーが決まった。先輩たちを含めて、ニュースターダストの団員たちはソウル以外への遠征公演をそれほど好ましく思っていないようだった。理由を聞いてみると、最近ひどい仕打ちを受けたというのだった。

ミスター・ホンが地方のあちこちを回って手当たり次第に出演契約を結んだせいで、公演当日にショーが中止になる事態が起こったのだ。今回もまた中止になるのではないかと、とくに女性団員は不安がった。地方遠征公演に穴をあけると、怒られるのはミスター・ホンではなくショー団員たちだからだ。だが、団員たちも結局は会社に食わせてもらっている社員だから、会社が行けといえば従うしかなかった。そうしてフルバンドとショーガール五人、キキ・キムという大人数がトラックに乗って春川に向かった。ヘルパーの俺とウギももちろん同行しなければならなかった。

昼食後に出発したトラックは夕暮れ時になって春川市内に到着した。急いでビッグスタークラブに向かうと、ミスター・ホンは一人で中に入り、五分と経たずにあらゆる罵詈雑言を吐きながら出てきてすぐにトラックを出し、春川市内に向かった。パク・ジュンチョルがミスター・ホンに尋ねた。

「俺たちどこに行くんですか?」

「先に旅館に行くぞ」

ミスター・ホンの話によると、ビッグスターのマネージャーに会って初めて公演が今日ではなく明日だと気づいたというのだ。公演当日に春川まで一大軍団を率いて向かってから間違いに気づくとは！　とんでもない失態に団員たちはあきれ返ったが、どうしようもなかった。トラック一台分の荷物を旅館の部屋に運び込むのにしばらくかかった。ところが、翌日にもショーは開かれなかった。耐えかねた団員たちは不満を漏らし始めた。

「この様子では今回の公演もなくなったみたいだな」

「団長だからって大きな顔しやがって。こんなにいい加減な仕事で許されるのか？」

ミスター・ホンは逆に大声をあげた。

「うるさいな。ショーは明日やるぞ、やるんだ！　朝はゆっくり休んで観光でもすればいいじゃないか？」

するとガンヨプが鼻で笑った。

「こんなタコ部屋で観光なんてする気になれるかっての」

「なんだと？」

「団長は女と二人で広い部屋を使って楽だろうけどな。牛や豚でもあるまいし、一部屋に何人も詰め込んで何が観光だ？」

正論にミスター・ホンは白目をむいた。揉み合いになり、旅館の従業員が駆け上がってくる騒ぎになった。だが、ミスター・ホンが明日には必ずショーが開かれると豪語したにもかかわらず、翌日も、その翌日も公演はなかった。宿泊日数が延びると、旅館の主人の鼻息が次第に荒くなった。一週間目になる日の早朝、ついに主人は団員たちが寝ている部屋に押しかけてきた。

「今すぐ払ってくださいよ」

主人は寝ぼけ眼の団員たちに向かっていきなり叫んだ。ジュンソクが起き上がって尋ねた。

「払うって何をですか？」

「何をだって？　旅館に泊まったら宿代を払えって言ってるんだ。三十二人の団体で泊まっておきながらツケ払いにしろとはどういうことだ？」

晴天の霹靂だった。ミスター・ホンは団員が泊まっている旅館の宿代すら払っていなかったのだ。団員たちはすぐにミスター・ホンの部屋に突入したが、彼は夜通し阿片を吸って朦朧としていた。旅館の主人の態度は強硬だった。彼は高額の宿泊料が書かれた帳簿をめくって見せながら、今日中に宿代を払わなければ全員旅館から追い出すのはもちろん、それ相応の措置を取ると息巻いた。「それ相応の措置」とは、滞った宿代の代わりに楽器を取り上げるという意味だった。

商売道具の楽器が取り上げられるだなんて。団員たちは飛び上がった。楽器を確保するため、我先にと荷物を預けておいた倉庫に走って行ったが、旅館の主人は夜のうちに扉に釘を打ってしまった。興奮した団員たちは扉を壊そうとし、主人は従業員を動員して扉を塞いだ。大声と罵倒が飛び交う修羅場になった。大騒ぎする間、ミスター・ホンは自室のベッドに横たわって阿片の余韻に浸っていた。

取っ組み合い寸前の状況で、ジュンソクが仲裁に乗り出した。先輩は年配のバンドマンをビッグスタークラブへ送り込み、事件の一部始終を把握した。クラブのマネージャーはカンカンに怒っていた。彼の話によると、すでに二か月前から春川でショーを行う契約を結んでいたのを、ミスター・ホンは他のクラブと日程が重なっただの、米軍の定例オーディションの準備があるだのと言ってずるずる引きのばしていたのだ。一か月待った末にクラブのマネージャーはミスター・ホンに契約破棄とあわせて支払った契約金の返還を求めたが、なしのつぶてだった。話を終えたマネージャーは、背後に屏風のようにそびえる相撲取り並みの体格の男を指して脅しをかけた。

「ショーはやらない。今週中に契約金を返さないなら、こいつらを行かせて楽器を持ってこさせるから勝手にしろ。損害額を考えたら、倍返しでも足りないぐらいだからな」

滞った宿代にクラブの契約金まで、踏んだり蹴ったりだった。どう転んでも借金のかたに楽器を持っていかれるとは、迷惑をこうむるのは罪のない団員たちばかりだった。春川に来る前にショーガールたちがどうしてこんなに心配していたのか、ようやく理解できた。楽器という担保があるバンドマンとは違って体だけが財産のショーガールたちは、クラブの用心棒から夜の店に売ってしまうぞという脅迫まで受けていたのだった。

どちらにしても、楽器を守るためにはカネを準備しなければならなかった。ひとまず楽器を渡してソウルに帰ってから取り戻そう、警察を呼ぼう、自分の故郷が春川だから知り合いのヤクザを呼ぼうなどなど、甲論乙駁(こうろんおつばく)の議論が交わされるなか、突然キキが言った。

「そのお金、私が払います」

キキはハンドバッグから新聞紙にくるんだ札束を取り出した。この一週間ずっと静かだった彼女は、いつの間にか一人で市内の銀行に行ってきたのだった。旅館の主人はキキが渡したカネを十ウォン単位までていねいに数えた後、楽器を返してくれた。キキは一気に十歳も老け込んだような顔で言った。

「早く楽器を持ってソウルに帰りましょう。ここにいるだけでおかしくなりそうだわ」

後から知ったことだが、ミスター・ホンはあの大騒ぎの間中、しらふだった。殺気立った旅館の主人の相手をするのが嫌で、阿片で朦朧としたふりをしていたのだ。ソウルに戻る数時間の間、車に乗った団員は誰も、キキすらもミスター・ホンに一言も話しかけなかった。この事件は春川全体に広まり、数日後には新聞の短信記事にも掲載された。これ以上の恥さらしはなかった。天下の北斗興行もこれまでだという噂が芸能界に広がり始めた。

いわゆる「春川事態」が勃発してからしばらくして、先輩たちは辞表を提出した。社長はあれこれ条件を提示して引きとめ、ミスター・ホンはヤクザの名前を出しながら脅迫した。数日におよぶ争いの末、ついに先輩たちは倉庫から自分の楽器を持ち出した。先輩たちは俺を事務所の外に連れ出して耳打ちした。

「おまえも今月末で辞めるってことで話をつけたよ。これから俺たちはニュースターダストじゃなくワイルドキャッツだ」

万歳という声がひとりでに飛び出した。今月といっても一週間も残っていない。そういえば、北斗興行を出る前に必ずやっておくべきことがあった。ウギに別れの挨拶をすることだった。

「おまえ、出世したな」

あっさりとそう言うウギの前で、俺は恥ずかしくなった。ほんの四か月前までは道端に寝転ぶルンペンの身の上だったのに、バンドマンになると言ってはしゃいでいるなんて。一緒に働く同僚たちはどれだけ目障りだっただろうか。

「ありがとう、ウギ。これもみんなおまえのおかげだ。おまえがいなければ八軍に入ることも、先輩たちとバンドをやることも、俺なんかには夢のまた夢だったよ」

俺は心からそう言った。ウギは鼻をすすりながら照れくさそうに笑った。

「俺が何をしたって？　おまえはこうなる運命だったんだ。俺もそのうち辞めるつもりさ。ホンのせいでこんな会社、もうすぐ潰れるんじゃないか」

「そうか？　おまえも他の会社に行くのか？」

「俺はヘルパーを辞めて転職するよ」

どんな仕事をするつもりなのかと聞くと、ウギは周囲を見まわしながら声を潜めてささやいた。

「坡州(パジュ)の闇市場でトラックの荷卸しをやってるおじさんがいるんだ。俺がここで働く間に下士官を何人か紹介してやったら、鉱脈を掘り当てたって大騒ぎさ。知ってのとおり、金持ちの奥様方はヤンキーの缶詰に目がないだろ。これからはそっちの仕事をやろうと思ってさ。俺もちょっとはカネを稼がなきゃな」

「大丈夫か？　警察に目をつけられたらどうするんだ」

俺の心配をウギは笑い飛ばした。

「巡査が一番のお得意様なのに、警察の心配かよ」

それでも心配を拭えない俺に、ウギは事のいきさつを話してくれた。分別のつく前から少年院を出たり入ったりして揉め事ばかり起こしていた弟が、しばらく前に国が組織する虞犯（ぐはん）少年更生団に選ばれ、改心したかと思ったのもつかの間、ある日、手足に重い障害を負って戻ってきたというのだ。

「それが、障害者になっただけじゃなくて、頭までバカになって戻ってきたんだ。どこで何をされてきたのか、自分が何をしたのかも全部忘れちまってさ。いくらどうしようもない奴でも、あいつなしには生きられないうちの母ちゃんにどんな罪があるっていうんだよ、こん畜生め」

「国から選ばれたなら出世して帰ってくるはずなのに、なんだって半殺しにされたんだ？」

「そんなこと俺にわかるかよ。運がなかったんだろ」

生きて帰ってきただけでも儲けものだよ、そうだろ？　ウギはそう言って笑った。ウギの話を聞きながら、俺は戦争中に忽然と消えた父さんのことを思った。この国は父さんのような人でいっぱいだった。波にさらわれる砂粒のように跡形もなく消えた人々。亡骸（なきがら）を探し出して墓に入れることができれば幸運な方だった。

戦争からこのかた、世界は底なし沼だった。革命〔一九六〇年四月の李承晩政権に対する市民蜂起〕が起こってから一年で別の革命〔朴正煕による一九六一年の軍事クーデター〕が起こり、やたらとあふれる新しい法律と規則、昨日の名士は一晩で死刑囚になり、街をさまよう浮浪児と乞食たちはトラックに乗せられてどこかに消え、二度と戻ってこなかった。季節ごとに発生する天変地異と伝染病のなか、運とまぐれだけが個人の運命を分けた。

「おまえはきっと成功するよ。俺もな」

「ああ。俺たち絶対に成功しようぜ」

俺はウギと固い握手を交わした。天涯孤独の俺だ、自分の墓は自分で建てるしかない。俺の財産はもはや音楽だけだった。

5. とにかく今はソウルを信じよう

十月、大邱(テグ)で全国体育大会が開幕した。全国民の関心が注がれるなか、八軍芸能界には別世界のようにいつもどおりの時間が流れていた。俺たちワイルドキャッツは、三角地(サムガクチ)にある世紀興行に移籍して再出発を図った。世紀興行は北斗興行に数年遅れて設立された芸能プロダクションだったが、急速に勢力を拡大し、ここ二、三年の間に指折りの大手プロダクションに成長した。北斗興行が伝統的なブロードウェイのボードビル風ビッグショーで名声を高めた一方、世紀興行は《スリーセブンショー》という名でソロシンガーや女性コーラスグループ、コンボバンドを前面に押し出した。ジャズからロックンロールに移り変わるポップスの流行を上手に読んだといえる。世紀興行には、フィリピンや日本に長期滞在して外貨を稼いでくるシンガーも複数所属していた。北斗が沈む夕日だとすれば、世紀は昇る朝日だった。

ワイルドキャッツの最初のショーは、東豆川(トンドゥチョン)のキャンプ・ケーシー〔軍事境界線に近い京畿道北部、ソウルの北方約六十キロに位置する〕のクラブで幕を開けた。スリーセブンショーの前座での短いステージではあったが、司会者が米軍の観客の前で俺たちのバンドを紹介する歴史的瞬間だった。デビュー曲は、ビーチボーイズの最新曲〈サーフィン・サファリ〉だった。コーラスグループと一緒に演奏を終えると、客席からはかなり大きな拍手が上がった。初舞台を成功裏に終えたことで、会社も積極的にスケジュールを入れてくれるようになった。俺たちはシンガーやショーガールとともにソウルと京畿道のあちこちの米軍クラブを回り、公演を繰り広げた。

息つく暇もない忙しい日々が続いた。八軍バンドは、自分が好きな曲ばかり演奏することはできない運命だった。米兵たちの好みに合わせ、最新のロックンロールからジャズ、ブルース、カントリーまで、まんべんなく演奏できなければならなかった。俺たちは南大門のヤンキー市場でリールテープを買い、ラジオにくっつけて最新ポップスを録音した。ＡＦＫＮの人気番組では、毎週ビルボードの最新チャートにランクインした曲を流してくれた。俺たちは韓国時間ではなく米国時間に合わせて暮らした。毎週量産される新曲を頭の中に叩き込み、練習するためには一時も休む暇はなかった。猛練習するにつれ、俺のギターの実力も独学していた頃とは比べものにならないスピードで上達した。俺は食事の時間も惜しんでメロディと歌詞を諳んじた。夢も英語で見ていた。

「音楽は才能がなければできない仕事だと言うけど、おまえは本当に素質があるよ」

人のいいジュンチョルが褒めてくれるたびに力が湧いた。公演を終えるとジュンソクが俺の演奏の改善すべき点を指摘してくれるのもありがたかった。先輩たちは、俺にとって家族も同然だった。血もつながっていない俺の才能を見いだしてくれた恩人だった。

ガンヨプは少し違っていた。もちろん彼も俺を弟のようにかわいがってくれた。彼の態度が違うというより、俺が彼を見る目が違うというのが本当のところだろう。実のきょうだいでも好きなきょうだいと嫌いなきょうだいがいるとすれば、人生により大きな影響を及ぼすのは後者ではないだろうか。俺は多分、ガンヨプに対してわだかまりを抱いていたのだ。

俺たちが初めてソウル市外で行う遠征公演の場所は、慶尚北道（キョンサンプクト）の倭館（ウェグァン）にあるキャンプ・キャロルに決まった。倭館から釜山を経由し、光州（クァンジュ）、大田（テジョン）、天安（チョナン）、烏山（オサン）を経てソウルに戻る長い日程だった。南部地方で名の知れたバンドマンは誰もが倭館の基地周辺に集まるだけに自然と米兵たちの耳も肥え、地方だからとなめてかかると痛い目をみることになった。

俺たちは基地のサービスクラブで行われる「ツーショー」のうち、第一部に出演することになった。もともとツーショーとは同じチームが一日に同じ内容のショーを二回繰り返すことを指すが、遠征公演によくある「やむをえない事情」が発生したせいで、他のプロダクションに所属するバンドと一部ずつ分けて行うことになったのだ。公演日程の決定権は全面的にプロダクションのマネージャーが握っているため、芸能人は黙って従うしかなかった。北斗興行に所属していたときのように、公演がいきなり中止になって困ったことになるよりはましだった。

「まったく、キャンセルになるならまだしも、人のショーに便乗するだって？」

そんなものかと納得した俺とは違い、ベテランの先輩たちはプライドが傷ついたようだ。楽屋に座ってぶつぶつと不満をこぼした。

「クラブのマネージャーが頼み込んだらしいぜ。観客が大騒ぎしてるのにどうするんだって」

「何でヤンキーどもが騒ぐんだ？」

「キッド・チェが倭館に来てるんだってさ」

〃キッド・チェ〃の名前が出た瞬間、先輩たちの顔色が変わった。ジュンチョルがドラムスティックの端で頭をボリボリと掻きながら言った。

「それなら仕方ないな」

「ああ、キッド・チェならしょうがないよ」

キッド・チェという名前一つで誰もが納得するのを見て、どういうことか気になった。

「キッド・チェって誰ですか？」

俺の質問に、ガンヨプがあきれたような表情を浮かべた。

「キッド・チェも知らないのか？」

「知らないのも無理はないさ。ヘルパーの仕事ばっかりで他の会社のショーは観る機会もなかったじゃないか」

ジュンソクはまず俺をかばった後、師匠らしい態度でこう命令した。

「百聞は一見にしかずだぜ、後でちゃんと見とけよ。一生忘れられない経験になるから」

キッド・チェ（Kid Choi）——本名チェ・ジン（崔愼）。その男は、八軍芸能界に忽然と現れた。

北斗興行、世紀興行と並ぶ八軍芸能界の大型プロダクション「フェニックス芸能」は、李承晩(イスンマン)大統領の不正選挙に怒った市民たちが蜂起した四月革命の直後、ソウルの国都劇場で大々的なオーディションを開催した。ソウル市内はもちろんのこと全国各地から数百人の芸能人志望者が参加し、会場は大変な熱気だった。そのオーディションでは、一人のギタリストが断然光っていた。体が小学生のように小さいので芸名を「キッド」と名付けた彼は、オーディションでデュアン・エディの〈悪路の40マイル〉を惚れ惚れするほど上手に弾きこなした。

　初舞台から噂の的になった彼は、フェニックス芸能の看板ショー《トリプルAショー》の専属ギタリストとして活躍した。ショーに参加して数か月でギターソロタイムを任されたが、これは大変な栄誉だった。シンガーたちと違い、バンドマンにとってソロ演奏ができるチャンスは滅多にないことだった。バンドマンがソロ演奏をするためにはショー団長に袖の下を渡す必要があるほどだったから、彼のギターの実力は折り紙つきといえた。

　キッド・チェはこの一か月間、トリプルAショー団と一緒に全国巡回公演を行い、最終公演を倭館の基地で一番人気のクラブ「キング」で終えた。その後はすぐにソウルに戻る予定だったが、キャンプ・キャロルの将校の裁量で特別に追加公演が行われた。後から聞いた話では、基地の米兵たちがキッド・チェのギター演奏をもう一度聴きたいと将校に直談判したのだという。

　翌日の午後四時、キャンプ・キャロルのサービスクラブでスリーセブンショーが幕を開けた。広いホールは足の踏み場もないほどだった。キッド・チェを一目見ようと、米兵たちが後方の師団からトラックで倭館まで乗りつけたのだ。彼らは俺たちが演奏するエルヴィス・プレスリーにも惜しみない歓声を送ってくれたが、その声はどことなく煮えきらないようだった。俺たちの後に舞台に上がるキッド・チェを彼らが首を長くして待っていることを思うと、それも無理はなかった。

公演を終えると、米軍たちと一緒にビュッフェの食事をする機会が与えられた。ソウルの基地ではなかなか許されないことだった。他の団員たちはチキンやポップコーン、コーラを空きっ腹に流し込むのに余念がなかったが、俺はあまり食欲がなかった。少しでも早くキッド・チェの公演を観たかった。カーテンコールだけでは飽き足らず、追加公演まで決まるなんて、いったいどれほどの実力だというのか。

午後七時が過ぎ、第二部の公演が始まった。トリプルAショーの団員たちが歓声の中でステージに上がった。キッド・チェが誰なのか、すぐにわかった。小さな体に下げたエレキギターは、チェロやコントラバスのように大きく見えた。突然、前回の米軍定例オーディションで見かけたいわゆる〝神童ギタリスト〟の姿が俺の記憶に浮かんだ。あまりに小さいので子どもだと思っていた彼の正体が、ほかでもないキッド・チェだったのかもしれないと思った。

「キッド・チョイ（Kid Choi）！」

ショーが始まる前から米兵たちは狂ったように名前を連呼した。米兵たちがこれほど熱狂するのを見るのは初めてだった。過去に北斗興行でこれほどの熱狂を引き出した芸能人はキキ・キムだけだった。キッド・チェが無表情でステージの前に出てきた。彼が小さな体に比べて大きくごつごつした手でピックを弦に当てると、四方に厳かな静寂が流れた。

彼が一曲目に選んだのは、よりによってベンチャーズだった。〈ギター・ブギー・シャッフル〉。一介のヘルパーだった俺がこの地位まで昇りつめた、まさに運命の曲。何百回も練習し、今や自信があると断言できる曲だった。楽譜の四隅がすり減るほど、音符や休符一つまで残さず覚えたその曲は、キッド・チェの指先で完全に新しい音楽として生まれ変わり、俺の耳と頭に強烈な一打を食らわせた。前半は曲芸を思わせる速弾きで聴く者の魂を奪うと、中盤からはアーサー・スミスの原曲を思わせる伝統的なブギウギジャズに変容させた。

続いてデュアン・エディの〈シャザム！〉とチャック・ベリーのヒット曲〈ジョニー・B・グッド〉を演奏した。最後に彼はコードをブルースに変え、B・B・キングの〈スリー・オクロック・ブルース〉を演奏し始めた。化け物のような腕前だった。キッド・チェがギターのネックを頭の上に持ち上げ、最後の小節を弾き終えると、観客たちの口から一斉にため息が漏れた。ジュンソクが俺の横でささやいた。

「あいつがキッド・チェだよ」

わかってます。俺は袖で鼻水を拭いながら、黙ってうなずいた。巻き起こる拍手と歓声がホールの中に突風を生んだ。観客たちは連呼した。

「キッド・チョイ！　ビッグ・チョイ！」

グレート、ファンタスティック、マーベラス、ジーニアス。最上級の賞賛を意味する単語が喝采の中で次々と飛び出した。女性シンガーやショーガールのダンスに送る野蛮な歓声とは違った。

こんな賞賛や教養ある単語はこれまでどんなクラブでも聞いたことがなかった。キッド・チェが舞台を下りても、米兵たちは休みなくキッド・チェを出せと叫んだ。司会者が出てきて興奮した観客たちを落ち着かせ、ようやくスリーセブンショー団は本公演を始めることができた。名前こそトリプルAショーだが、実態はキッド・チェのワンマンショーのようなものだった。

スリーセブンショーが幕を下ろすと、キッド・チェは観客の声援に応えてふたたびステージに登場し、ギターのソロ演奏を聴かせた。公演が終わると、もう一つの珍風景が繰り広げられた。米兵たちが先を争って舞台に駆け上がると、スポーツ選手を胴上げするようにキッド・チェを担ぎ上げたのだ。小さな体は米兵の巨体に埋もれ、突き出したギターのネックだけが見えた。米兵たちはキッド・チェを担いだまま外に連れ出し、トラックに乗せた。それは観客が芸能人に示すことができる最大級の礼儀だった。

キッド・チェは天才だった。彼の公演を観て大きな衝撃を受けた俺は、すぐにギターの練習時間を倍に増やした。間もなく、俺はそれが悪あがきでしかないと悟らざるをえなかった。キッド・チェと俺のギターの実力の差は大人と子どもだった。指に水ぶくれができ、爪が割れるほど練習しても、俺のギターはキッド・チェのギターのようには鳴ってくれなかった。

俺が足を踏み入れた芸能界は、一見ユートピアのように見えた。ドルがあふれるパラダイス、戦争孤児出身の青二才がインテリ社員より高い給料を稼ぐ世界、アメリカ人が韓国人に向けて惜しみない賞賛と敬意を表する世界、ソウルから香港、マニラ、東京、ラスベガスまで続く世界。

生まれや学歴を超越した実力主義だけが通用する理想郷は、裏返せば生まれや学歴では手に入らない才能という形のない階級が支配する、どんな世の中よりも過酷な世界だった。

秋が深まる頃、もう一人の天才、キキ・キムが世紀興行に移籍してきた。南山(ナムサン)での親睦会のときにかけていた大きなサングラス姿で現れた彼女は、ショー団長と話を終えた後、真っ先に俺たちワイルドキャッツを訪ねてきた。俺たちはキキを実家に帰ってきたきょうだいを迎えるように歓迎した。その日の夜、俺たちは三角地(サムガクチ)で一番大きい中華料理店でキキの歓迎会を開いた。真夜中にもかかわらず、キキはサングラスをかけたままだった。常連客の半分は同業者の芸能人、残りの半分をプロダクションの関係者が埋めた店で、なぜ顔を隠すのかわからなかった。

「ついに解放！　いまいましい北斗とは永遠におさらばよ」

キキはグラスを持ち上げて乾杯を促した。北斗興行を辞めたということは、ミスター・ホンとの関係も清算したということだった。数えで十六の青春時代から夫婦のように過ごしたというホンと別れるのは決してたやすいことではなかったはずだ。キキが北斗興行から移籍するという話が出るや、世紀興行の人々は減らず口を叩いた。北斗興行の経営が傾いたから好色家で有名な世紀興行の会長に取り入っただとか、お腹の中にはもう会長の子どもがいるだとか、北斗興行時代と変わらないレベルの噂が飛び交った。俺だって潔白とはいえなかった。俺こそキキに関する不埒な想像と好奇心で頭が混乱していた。ミスター・ホンはどんな心情でキキを手放したのだろうか？　気に食わないことがあると暴力をふるう奴を、キキはどうやって丸め込んで別れたのだろうか？　知れば知るほど遠ざかる謎の女。ヘルパーからバンドマンに出世はしたが、依然としてキキと俺の距離ははるかに遠かった。

「そのサングラス、いつまでかけてるつもりだ？」

宴もたけなわを迎え、ガンヨプがキキを茶化した。キキは聞く耳を持たず、鼻を鳴らした。

「関係ないでしょ」

すると、ガンヨプがキキの顔にいきなり手を伸ばした。

「何するの？」

キキは怒気に満ちた口ぶりで叫んだが、先輩はニヤニヤ笑いながらキキをからかった。

「スパイ映画にでも出る気か？　おまえは嘘をつけないから、女優は無理だろうな」

「そんなに映画に造詣が深い方がどうしてバンドなんてやってるのかしら。映画監督になればいいのに」

「いいからその鬱陶（うっとう）しいサングラス、取ってみろってば」

「いやです」

キキは冷たく顔を背（そむ）けてサングラスを押し上げたが、ガンヨプは最後まで意地悪く冷やかした。

キキは本当に気分を害したようで、自分のグラスに焼酎を注いでぐいっと飲み干すと、手洗いに行ってくると言ってふいと席を立った。彼女が立ち上がると同時に、ジュンチョルがガンヨプをからかった。

「恋愛戦線の進捗状況はいかがかな?」

「話にならないぜ、お高く止まっちゃってさ」

「それぐらいは覚悟しろよな。天下のキキ・キムなんだから」

　下品な冗談を交わしながら笑い合う二人の横で、ジュンソクは固く閉じた口を黒山羊のようにもぐもぐさせて料理を味わうのに集中していた。本来が物静かな性格でもあったが、そもそも女性に興味などない修道僧だった。八軍で活躍するバンドマンだけに、言い寄ってくる女性も多そうだが、ジュンチョルの証言によると学生時代から一度も恋愛経験がないというから、本当に真面目一徹なようだった。休日には一人で鍾路で映画を観た後、コーヒーを一杯飲んで帰ってくるのがジュンソクの唯一の趣味だった。恋愛や結婚は、問題児の兄を先に婿に行かせた後で考えるというのが彼の言い訳だった。

「キキ、遅いな。おまえ、ちょっと見てこいよ」

　ジュンソクが俺に命じた。俺は何気なくガンヨプの様子をうかがった。彼はジュンチョルや隣のテーブルの芸能人たちと酒代を賭けたポーカーに夢中で、他のことは眼中になかった。俺はすぐに立ち上がり、店の外に出てみた。キキは用を済ませ、街灯にもたれてタバコを吸っていた。夜道を行き交う男たちがちょっかいを出したが、キキは一瞥もくれずに優雅なポーズでタバコの煙をくゆらせた。

チャンスだ。今こそ彼女と二人きりになれる機会だ。いくら鈍感な俺でも、それぐらいはわかった。俺は意味もなく咳払いをしながら、キキの背後から話しかけてみた。

「寒いのに、風邪引きますよ」

叔父の工場に住んでいた頃に観た映画で聞いたセリフを使ってみた。何気ない様子を装っているが、俺の心臓は早鐘を打っていた。

「酔いを醒ましてるんです」

俺に背を向けて答えるキキの声は、歌っているときのようにハスキーだった。タバコのせいだろうか？　彼女はサングラスを外すと、首に巻いたマフラーの端で目元を押さえた。ほの赤い街灯の光が、サングラスのレンズのように黒いあざができた目元をかすかに照らした。キキはかすれた声で俺に言った。

「醜いでしょ？」

俺は言葉を失い、うろたえた。キキは右目よりはましな左の目元を揉みながら、けらけらと笑った。

「よけようと思ったら反対側まで殴られちゃったわ」

酔っているようだ。風に乗って酒のにおいがぷんと漂った。酒に酔ったキキは、サングラスのつるをもてあそびながら言葉をつないだ。

「男の人って本当にバカよね。名残惜しさを拳で示すなんて。おまえがいなくなるなら俺も死ぬなんて言ってたくせに」

その瞬間、腹の底から熱い感情が沸き上がった。酔っているのをいいことに、俺はキキに無謀にもまくし立てた。

「どうしてあんなクズなんかと付き合ったんですか？　傷つけるだけの奴とわざわざ……、女にはそんなに男が必要なんですか？」

キキはあざのできた目で俺をじっと見つめた。彼女がそれほど長い時間俺を見たのは、このときが初めてだった。酔ったせいで赤く充血した瞳が、水を含んでガラス玉のように輝いた。脆い俺の平常心は、ふたたび鼓動を打ち始めた心臓の前でどうしようもなく揺らいだ。

キキが突然ひび割れた声で一喝した。

「バカね！　あいつが私を必要としてたのよ。私じゃなくて」

俺は気押され、すぐに謝った。

「ごめんなさい」

キキは俺の謝罪に耳も貸さず、鼻息荒く話を続けた。

「あいつは父さんの息子になりたがったの。いわゆる音楽的後継者にね。でも偉大な才能は全部私が受け継いだのよ。このキム・ヘヒは父さんの一番の秘蔵っ子なんだから。父さんはいつも言ってたわ、うちのヘヒが一番出来がいい、ヘヒの才能が世界中を驚かせるだろうって。あいつは初めて会ったときから私に嫉妬してたわ。嫉妬しすぎて私を閉じ込めようとしたのよ」

俺はいつの間にかキキの話に引き込まれていた。キキは歯ぎしりをしながらつぶやいた。

「私が若い女でさえなきゃ、あんな可哀想な人間のことなんて気にも留めなかったのに……それなのに……」

キキは唐突に、げぇえーっと通行人が驚いて振り返るほど盛大にげっぷをした。路上に嘔吐でもするのではないかとぎょっとしたが、幸いそんなことは起こらなかった。キキは口を両手で押さえたまま途方に暮れていたが、ふと背筋を伸ばして深呼吸をした。彼女はサングラスをかけ直して俺に謝った。

「ああ、やっと正気に戻ったわ。ごめんなさいね。酔うとこうなっちゃうのよ」

いつの間にか、キキの声は明るく涼し気な本来の声に戻っていた。げっぷと一緒に酔いまで飛んでいったようだった。美しく優雅な姿勢でカツカツとヒールを鳴らして店に戻る姿を見ながら、俺はまるでキキのショーを鑑賞した後の観客になった気分だった。席に戻ったキキは完全に平常心を取り戻していた。ヒステリックな態度は消え、ガンヨプの冗談を笑顔で巧みに受け流した。ただ、彼女は酒席がお開きになるまで一度もサングラスを取らなかった。

八軍のトップスター、天下の妖婦キキ・キムもあざができるほど男に殴られ、酒に酔って涙を流す。思いもよらず、俺はキキの高いプライドの裏に隠された姿を見てしまったのだった。後になって気づいたが、その幸運は裏を返せば俺がバンドの中で最下位の序列であり、一番純粋だったから得られたのだった。それは男としては恥ずかしい話だったが、自分が純粋かどうかもわからないほど純粋な俺の中には、ばかげた希望が芽生えていた。キキがガンヨプの代わりに俺を選んでくれればいいのに。俺は彼女の顔にあざを作ることも、阿片を吸うことも、妻を置いて不倫に走ることもしないのに。ガンヨプの手を振り払うキキを盗み見ながら、俺はむなしい夢を見た。

いつかは彼女に伝えるんだ、俺の心を。俺は部屋に一人座って徹夜でノートに歌詞を書いた。ラブレター代わりに書いた恋の歌だった。いつか曲を書くなら、それはキキに捧げるラブソングになるだろう。しかし日が昇り、外が明るくなると愛の情熱はどこかに消え、あの夜に酔った勢いでキキに言った軽はずみな言葉を思い出し、恥ずかしさが残っただけだった。

キキ・キムは世紀興行でも破竹の勢いだった。八軍芸能界最高のスター、キキ・キムのプロダクション移籍は、すなわち北斗興行の没落を意味した。しばらくしてニュースターダストショー団の解散のニュースが伝えられた。北斗興行会長のムン・ジュソンは、米軍が支払ったギャランティのほとんどを家族の贅沢(ぜいたく)と日本の食料品の密輸事業に流用していた。そして、専務のミスター・ホンが阿片と博打にうつつを抜かし、無分別な契約で全国の有名クラブにカラ手形を切ったせいで負った借金は、全団員の半年分の給料に迫るほどだった。ワイルドキャッツが北斗興行を辞めたのは、まったくもってタイムリーな選択だといえた。もちろん、俺たちがそうできた背景にはキキの積極的な後押しがあった。

世紀興行からは、キキを主人公にした《ザ・キキショー》がお目見えした。キキが一人でシンガー、ダンサー、ギタリスト、ピアニスト、コメディアンの役割までこなす万能ショーだった。キキの特技の一つはエルヴィス・プレスリーなどのロカビリー・シンガーの歌まねで、カウボーイに扮してピアノの椅子の上に立ち上がり、ジェリー・リー・ルイスの〈火の玉ロック〉を熱唱すると、観客たちは口から泡を吹いて熱狂した。間もなく俺たちワイルドキャッツは、キキショーの専属バックバンドとして活躍するようになった。ショーの人気はあっという間にスリーセブンショーを圧倒した。新人バンドはその名が広まるほど得だったから、俺たちはキキのおかげで漁夫の利を得たようなものだった。

八軍芸能界で、男性シンガーやバンドマンがキキのような女性シンガーの人気に追いつくのは不可能に近かった。そもそもの成り立ちからして血気盛んな若い軍人たちを相手にする米軍ショービジネスの限界であり、特徴でもあった。もちろん、キッド・チェという例外もあった。彼は男性バンドマンが立つことができる頂点にいた。バンドマンにとっての夢は、コンボバンドとして名を馳せること、さらにはソロミュージシャンとして有名になることだった。それだけの地位に立てば、全盛期が過ぎてもショー団長として働いたり、自らプロダクションを設立したり、少なくとも音楽教室でも経営して食べていくことができた。星の数ほどいるバンドマンのうち、一握りにも満たない者だけが可能なことではあったが、それは楽器一つで芸能界に飛び込んだバンドマンすべての夢だった。

米軍基地の中にある最高級サービスクラブ、略称ＥＭ（Enlisted Men）と呼ばれる一般兵士クラブ、将校専用クラブのOC（Officer's Club）、下士官クラブのNCO（Non-Commissioned Club）、そして黒人兵専用クラブまで、俺たちは呼んでくれるところならどこにでも行った。一番慣れた会場が一般の白人EMクラブだとすれば、一番大変な会場はやはり黒人専用クラブだった。黒人クラブは白人たちから徹底的にタブー視される空間だった。黒人の観客たちは荒々しかった。ドクターペッパー〔炭酸飲料〕やコーラの瓶に焼酎を入れてストローでチューチューと吸いながら、公演のさなかにも流血騒ぎを起こしたり機材を壊したりし、連れて歩く韓国人女性たちを殴ったりもした。興に乗るとダンスをしたが、その踊りの過激なことといったら、床が割れんばかりの勢いだった。気分がよくても物を壊し、気分が悪くても壊すのだから手のつけようがなかった。

だが、黒人たちの耳は白人の観客よりも厳しかった。黒人たちは白人音楽は音楽とも認めなかった。ポップスの王様、エルヴィス・プレスリーも黒人にとっては偽物にすぎなかった。エルヴィスのヒットナンバー〈ブルー・スウェード・シューズ〉はチャック・ベリーの〈ロールオーバー・ベートーベン〉を原典とする曲だったし、〈ハウンド・ドッグ〉はビッグ・ママ・ソーントンが歌うブルースの味わいには及ばなかった。パット・ブーンはリトル・リチャードがいなければこの世に存在できなかったはずだ。いちいち検証するのも無意味なほど、黒人音楽はあらゆるポップスのジャンルに影響を及ぼしていた。ジャズやスウィング、ビバップにブルース、ブギウギ、ロックンロールの源流であるドゥーワップとロカビリー、サーフミュージックに至るまで。すべてがアメリカ大陸に連れてこられた黒人奴隷が歌った労働歌と霊歌をルーツにしたものだった。血の涙を流した歳月を歌で慰めた祖先から音楽を受け継いだ彼らの耳が鋭いのは、当然のことだった。

黒人音楽は白人兵の間でも人気があったから、練習しておくに越したことはなかった。実際に黒人音楽をきちんと身につけておけば、ほとんどの白人カントリーやブルースはお茶の子さいさいとまではいかずとも、楽に演奏できた。黒人音楽ばかり聴いていて白人音楽を聴くと、洗顔せっけんのように滑らかなリズムと音色が、塩気の足りないスープのように物足りなく感じられた。先輩たちは黒人音楽に一度はまると他の歌は聴けないと言った。

しばらくして、俺たちは本格的なボーカル練習を始めた。ここ数年のコンボバンドの流行は、四、五人組ボーカルバンドに集中していた。まず、リードギタリストで女好きのする美男子のガンヨプをフロントボーカルにし、セカンドギターの俺とベーシストのジュンソクがバックボーカルを務めた。初めは箸にも棒にもかからなかった。リールテープに録音して聴いてみた俺の声は、豚が殺されるときのような声だった。ここでガンヨプの才能が日の目を浴びた。彼は普段の乱暴な言葉遣いとは正反対の甘い声でブルースを歌いこなし、小学生の頃に教会で賛美歌を歌っていたというエピソードも俺を驚かせた。

「そこらの女よりもきれいな声だったんだ。近所の家で祝い事があるたびに歌いに行ったもんさ。変声期さえなければ専業歌手になってたかもしれないぜ」

本格ボーカルバンドになった俺たちは、ときどき女性シンガーを入れてプラターズの曲も演奏できるようになった。ワイルドキャッツの名前を覚えてくれる観客も少しずつ増えていった。

年末になり、スリーセブンショー団はクリスマスから大晦日まで各地の基地で開かれるホリデーパーティに出演するので大忙しだった。俺たちはパット・ブーンの〈ホワイト・クリスマス〉とビング・クロスビーのキャロルソングメドレーをうんざりするほど演奏した。大晦日の公演は龍山(ヨンサン)基地のサービスクラブに団員全員を総動員し、盛大に行われた。韓国人への食事の提供は厳禁の龍山基地でも、クリスマスばかりはビュッフェがふるまわれた。俺は前からアメリカの食事が体に合わなかった。食べるときは脂っこくておいしいとガツガツ詰め込むが、後で必ず腹を壊すからだった。しかし、アメリカのビールだけはどうしてもあきらめられなかった。俺はビュッフェに夢中の団員たちから離れ、瓶ビールを飲みながら広いホールのあちこちで騒いでいる米兵たちを見物した。

「ヘイ、ユー」

俺か？　空いた席に腰かけて休んでいた俺の目の前に、青い目の米兵がドクターペッパーの瓶を片手に現れた。

「ミー？」

指で自分の胸を指すと、米兵はニヤリと笑ってうなずいた。ヤンキーにしてもあまりに白い肌をゴマ粒のようなそばかすが首元まで覆い、不思議だというより気味が悪かった。一緒に記念写真を撮ろうということかと思い、俺は飲んでいたビールを置いてすぐに立ち上がった。すると、兵士は親指を立てて言った。

「君たちのバンド、最高だったよ。とくに〈ギター・ブギー・シャッフル〉、イカしてたぜ」

俺はようやく、その兵士がショーの感想を伝えようと俺に話しかけたことに気づいた。サンキューと答えて笑って見せると、兵士は持っていたドクターペッパーを俺に差し出して言った。

「これ、よかったら。俺も故郷でギターを少し弾いてたんだ。みんなベンチャーズが大好きでさ」

飲み物を受け取って答えると、兵士は鼻水をすすりながら喜んだ。彼は椅子を引っ張ってきて俺の隣に座ると、こうまくし立てた。

「俺もベンチャーズ、好きだよ」

「俺ももともとはおまえみたいにバンドをやるのが夢だったんだ。故郷の家のガレージで友達と練習したもんさ。夕食も食べずにやってたら、そのうち母さんがサンドイッチをガレージまで運んできてくれるようになったんだ。でも才能はゼロだったよ。あんなに一所懸命練習しても〈ギター・ブギー・シャッフル〉を最後まで弾けなかったんだ。ギタリストのおまえには絶対わからないだろうな。これ見てみろよ。俺の左手の親指。おかしな形だろ？　実は俺、生まれたときに指が六本あったんだ。子どもの頃に陸軍病院で七回も手術を受けたよ。野球のボールも握れなかったぐらいさ。それでも入隊時の身体検査では脱落しなかったけどな」

米兵はとんでもないおしゃべりだった。自分の故郷の話やロックンロールの話を手当たり次第にしゃべりまくり、俺の英語の実力では半分ほど聞き取るのがやっとだった。思う存分に自分語りを終えた兵士は、俺に握手を求めた。

「俺はジェリー。ジェリー・リー・ルイスのジェリー」

変わり者のヤンキーだったが、求められた握手を拒むのも礼儀に反する。俺は兵士の手を握って英語で答えた。

「俺はキムっていうんだ」

「コリアンはみんなキムかリーだな」

「下の名前はヒョンだよ」

「ヒュン？　フン？」

ジェリーは耳慣れない名前を発音するのに苦労した。そうやって自己紹介を終えたところに、体格のよい白人の上兵二人が向こうから近づいてきた。彼らはジェリーに気づくと、いきなり彼の首に相撲取りの太ももほどもある腕を巻きつけて絞め始めた。本人たちはいたずら半分かもしれないが、体が俺と同じぐらいガリガリのジェリーは、犬のように鼻を鳴らして苦しがった。ジェリーをからかってげらげら笑う上兵の口からは酒のにおいがした。見ていられない光景だったが、ヤンキーたちの間に韓国人が割り込むわけにもいかず、俺はただ曖昧な笑いを浮かべたまま見守っていた。

しばらくすると上兵は同僚らに呼ばれ、ジェリーを放って行ってしまった。その顔は人参のような赤毛と区別がつかないほど真っ赤になっていた。俺は床に落ちたジェリーの軍帽を拾ってやった。彼は形の崩れた帽子を頭にのせて笑った。

「俺、ここに来てまだ数か月だからやられてばっかりなんだ」

「そうなのか」

「また今度な、野良猫（ワイルドキャッツ）」

ジェリーはもう一度俺に親指を立ててみせ、兵士たちの群れに戻った。また会おうという彼の言葉を俺はもちろん信じていなかった。だが、本当にジェリーとまた会う機会がやってきた。正確には向こうが俺に会いに来たようなものだったが。


一九六二年最後の日、軍事政権は政党と市民団体の政治活動禁止法案を破棄した。集会とデモの自由が市民の手に戻ってきた。規律と秩序がすべてに優先する暗黒時代が幕を下ろしつつあった。軍事クーデターが起こる直前までの一年——一九六〇年四月十九日から翌年五月までの短い時間——、世界に花開いた強烈な自由を味わっていた人々は、春の訪れを待ちわびていた。

その年もいつものように厳しい寒波がやってきて、練炭の値段は高騰した。老人や子どもたちは都市のあちこちに乱立しては取り壊されるバラック小屋や穴ぐらで命をつないだが、更生と再建の美名のもとに通りから消えた浮浪児とくず拾いと孤児たちがどこに行ったのか、誰も知らなかった。

それでも、世界は少しずつ前に進んでいるように見えた。あのときまでは。

6. 愛しすぎると男はイカれちまう

一九六三年が明けた。俺たちワイルドキャッツの知名度は順調に上がっていった。年初にはついにワイルドキャッツとして初めて米軍の定例オーディションに参加した。コンボバンドの流行に乗って雨後の筍（たけのこ）のように多くのグループが生まれるなかで、ありきたりなレパートリーばかり演奏していては意味がないと言うバンドマスター、ジュンチョルの指示のもと、昨年末にイギリスのバンドとして初めて米ビルボードチャートで一位を獲得したザ・トルナドースの〈テルスター〉を血がにじむほど練習した。俺たちは他のバンドと同じように会社の倉庫で練習をしていたが、そのうちジュンチョル兄弟の母親が経営する喫茶店「牡丹」で練習をするようになった。夜十一時に店が閉まると楽器を持った俺たちが入って、翌朝に通行禁止が解除されるまで夜通し練習した。

定例オーディションの前夜は三時間も眠れなかった。針のように神経をとがらせたまま舞台に上がった俺たちを下から睨（にら）む十四の青い瞳は、四天王の目玉のように恐ろしかった。俺は、練習したとおりに演奏しろという先輩たちの言葉を思い出しながら必死で弦をかき鳴らし、コーラスを歌った。審査結果はAクラスだった。コンボバンドとしては高い点数だった。審査委員の口から「A」という声が発せられるやいなや、俺は飛び上がって歓声をあげた。新しい所属プロダクションでの地位がようやく固まった瞬間だった。俺たちは喜びに浸（ひた）りながら元暁路（ウォニョロ）の行きつけの居酒屋に向かった。北斗興行の事務所のすぐ向かいにある居酒屋だった。

「ホンの野郎め、ざまあみやがれ」

ガンヨプが通りの向かい側に拳を食らわせ、野次を飛ばした。ジュンチョルも負けじと拳を振り上げ、ジュンソクは腹を抱えて笑った。俺たちは店の主人に追い出されるまでしこたま酒を飲んだ。泥酔状態で肩を組んで歌を歌い、夜道をフラフラと歩いていると通行禁止の取り締まりに捕まり、一晩警察の世話になった。俺たちは留置場の床に転がりながら、もうすぐ一流芸能人の証である夜間通行証を手に入れるのだと、他の酔っ払いたちに大口を叩いた。

Ａクラスのバンドになると、月給がすぐに上がった。たった二十ファンが惜しくて昼飯を抜いていた俺が、いわゆる高所得者になったのだ。中華料理を食べたり、百貨店で新しい靴を買ったり、これまでの自分には夢のまた夢だった贅沢を楽しむことができた。何事にも慎重なジュンソクは俺に、無駄遣いをするなと忠告してくれた。上がる一方の物価に比べ、米軍が支給するドルの基本給は足踏み状態だと言うのだった。それでも一般労働者たちの給料に比べればはるかに高かったが、湯水のように使っていると大変なことになるかもしれない。

無駄遣いといえば、生まれついての浪費家のガンヨプにかなう者はいなかった。給料を貰った先から四方八方にばらまいてまわった。美男子らしく、おしゃれにもカネを惜しまなかった。一流の映画俳優が乗りまわしたというシボレーの自動車を買うことがガンヨプの夢だった。だが、彼が使うカネのほとんどが阿片に消えているということをジュンチョルやジュンソクは知っていた。阿片を吸わないタンタラ(芸能人)を探すのは闇夜の中で針に糸を通すようなものだから、あえて文句を言わないだけだった。

俺はジュンソクのアドバイスを聞き流さなかった。長い居候生活で身についた習慣のおかげだった。普通なら俺のようにカネの使い道を知らない奴でも酒と博打には勝てないものだが、俺は父さんに似てどれだけ飲んでも酔わない体質だから、酒を飲む楽しみも知らなかった。どのみち先輩たちは末っ子だからと酒も食事も奢(おご)ってくれ、本当にカネを使うことがなかった。使わないから自然とカネが貯まった。男が自立して貯金ができれば次は結婚だが、俺にはうるさく言う両親がいなかった。恋愛も他人事だった。その上、俺の心の中には寝ても覚めてもキキしかいなかった。そうして俺は独身のまま万里洞(マルリドン)の丘の上の部屋で一人で暮らしていた。

龍山(ヨンサン)基地の米兵ジェリーは、本当に俺たちのバンドがショーをやるたびに俺を訪ねてきた。ジェリーは大変なおしゃべりで、とてつもないロックンロール愛好家だった。彼はこの世に存在するあらゆるロックンロールバンドについて話したがった。英語が大してできない俺を捕まえて話しまくるなんて、異国でさぞかし寂しいのだろうと気の毒になった。ジェリーは兵営から壊れかけのギターを持ってきて、俺にギターの家庭教師をしてほしいと駄々をこねた。米兵が自分のお気に入りの芸能人から楽器を習うことはよくあったが、ギター歴が一年にもならないのに誰かに教えることはできないと最後まで断ると、ジェリーはがっかりしながらも腹を立てたりはしなかった。彼はそれほど俺のことが好きだった。基地のクラブに連れてきた売春婦を俺に紹介し、うまくやれとそそのかして俺を困らせたこともあった。そうしてジェリーの話し相手になっているうちに自然と英語が上達した。初めはロックンロールの話が聞き取れる程度だったが、次第に他の話もかなりわかるようになっていた。

「小さいときに父さんが仔馬を買ってくれたんだけど、そいつが肺炎にかかって死んじゃったんだ。黄色いたてがみがふわふわしてすごくかわいかったのに。俺は学校にも行かずに部屋に閉じこもってわんわん泣いたよ。それから父さんは俺と顔を合わせるたびに、女みたいな奴だって舌打ちするんだ。うちは五人きょうだいで、俺は一人息子だった。中学に入って男らしくなろうとロックンロールギターを習ったんだ。ベンチャーズは最高だったからな。ギターを弾くと父さんはもっと腹を立てたよ。だから俺もむきになってわざと極東に駐屯する第八軍の歩兵部隊に志願した。そう、ここコリアにな。父さんは第二次世界大戦のときにハワイで服務したんだ。真珠湾で日本軍の空襲に遭っても生き抜いた、男の中の男だよ。俺も父さんみたいにやれるってことを見せてやりたかったのさ。だけど……」

ジェリーは鼻先を袖でこすってこう言った。

「俺がソウルに発つ三日前に父さんは死んだよ。酒を飲んでやった賭けロデオで落馬して、首の骨が折れたんだ。即死だったってさ。かわいそうなのは母さんだよ。毎週母さんに手紙を書くんだ。おまえたちのバンドと撮った写真も送ってやったよ」

「それは大変だったな」

俺は心からジェリーを慰めた。ジェリーが俺に聞いた。

「おまえのお父さんはどんな人だ？」

「俺の父さんは事業家だったんだ。西洋の音楽が好きだった。父さんのおかげで小さい頃にバイオリンを習ってたんだよ」

俺の話に、ジェリーは目をしばたかせて感嘆した。

「ワオ！　すごく素敵だね」

「さあな、父さんは俺が小さいときに家を出たんだ。今、俺がギタリストになったこととは関係ないんじゃないかな？」

「いいや、君の父さんが戻ってきて君のギターを聴いたらきっと誇りに思うよ」

俺を見る彼のそばかすだらけの顔は、子どものように純粋無垢だった。そんな純粋さを保てているのはどれだけ恵まれたことだろうか。内心複雑な気分だった。

「そうかなあ？　タンタラごときがって腹を立てるかもな」

そう自嘲すると、ジェリーは困った表情を浮かべて軍帽のつばを押し上げた。

「俺は一度も父さんと気が合ったことがなかったんだ。父さんは死ぬまで俺が好きなことを理解できなかったし、それは俺も一緒だった。君は俺に比べれば恵まれてるよ」

俺は気落ちしてしまった。ジェリーのおかげで俺が両親のいない孤児の身の上だということを改めて実感させられた。一方でヤンキーにも両親がいて、彼らを恨みもすれば恋しがりもするのだと思った。同じ人間だから当然のことだが、ヤンキーたちが韓国人を未開のグック（gook）〔朝鮮戦争の際に米兵が韓国人に対して使った蔑称〕と獣（けだもの）扱いしたように、韓国人もまた彼らを白い奴、黒い奴と呼んで同じ人間扱いしないことが自然な風潮だった。

その後もジェリーはやたらと俺に馴れ馴れしく好意を示した。俺の立場からすれば、いわゆるヤンキーの後ろ盾が一人できたようなものだった。ある日、彼はひとしきりもったいぶりながら、俺に米軍専用の英字新聞「星条旗新聞（スターズ・アンド・ストライプス）」を一部持ってきてくれた。その新聞の文化面には、韓国のショーやミュージカルのレビューが毎週載るが、今回のレビューに俺たちワイルドキャッツに関する記事が載っているというのだ。小さな短信記事だったが、ステージの写真も一カット載せられていた。俺たちは親指の爪ほどの大きさのその写真を見ながら、よく写っているだのと盛り上がった。レビューで一番大きく扱われていた韓国の芸能人は、先週釜山のキャンプ・ハヤリアのサービスクラブで単独ショーを開いたキキ・キムだった。

世紀興行のショー団長チャン・ヨンファ――北斗興行のミスター・ホンが専務だったように、彼も社内で「チャン理事」と呼ばれた――は、「星条旗新聞」に大きく載ったキキの写真を立派な額縁に入れて事務所の入口に飾った。そのレビューを見て米国本土の芸能プロダクションから海外公演のオファーが入ることもあるほどだから、喜ばしい出来事だった。チャン理事は俺たちにも褒賞金だと言って、ささやかな小遣いを渡してくれた。金一封を受け取って喜ぶ俺に、ジュンソクがささやいた。

「ぬか喜びするなよ。チャン理事は二つの顔を持つ男だからな」

二つの顔を持つ男というあだ名にふさわしく、チャン理事は大変な気分屋だった。気分がいいときにはかぎりなく紳士的だが、ふとしたことで悪魔のように豹変するのだった。ある日、ジュンチョルが便所に行こうとしたところ、チャン理事がショーガールと言い争いをするうちに怒りを抑えられず手を出すのを偶然目撃した。だが、それは北斗興行時代にミスター・ホンが手を出すのとは質が違ったというのだ。

「殴られて倒れたショーガールをずるずると引きずりながら裏道に入って、ぽいっと放り出して出てきたんだ。何日か後にその子の母親が事務所にやってきて代わりに辞職届を出していったらしいけど、俺が見たところじゃ、あの子は廃人になってるか打ちどころが悪けりゃ死んでるかもしれないぜ。あのホンでもせいぜいヘルパーを殴るぐらいだったのに、団員、それも女を殴るだなんて」

ガンヨプが阿片タバコの煙を吐きながら舌打ちした。

「俺が聞いたところじゃ、その女がチャンに大金を借りて首がまわらなくなったんで、恋人だった往十里（ワンシムニ）のヤクザの親分と手を組んでペテンを仕組んだらしいぜ。親分って言ったって地元のパン屋で学生相手にカツアゲするチンピラだから、そいつはチャンが呼んだ子分に刺されただろうってさ」

「まいったな、俺も腹を刺されないように気をつけないと」

それもそのはず、チャン理事は本物のヤクザ出身だった。一時、〝東大門（トンデムン）の王〟として君臨した経済ヤクザの李丁載（イジョンジェ）を親分として仕えたという彼は、ある企業の会長の助けで軍事クーデター直後のヤクザの討伐を避けて潜伏していたが、芸能関係者に変身して舞い戻った。上には上がいるもので、ミスター・ホンが小悪党だとすればチャン理事は大悪党だった。元ヤクザのチャン理事の経歴は、今は衰えたとはいっても厳然たる一流音楽家出身のミスター・ホンとは天と地ほどの違いがあり、李丁載の子分として威勢をふるった時代には風俗街でクラブや売春宿をいくつも経営する実業家として悪名をとどろかせた。そんな過去を持つチャン理事がショー団長の地位まで昇りつめたのは、某企業の会長のおかげだった。芸能プロダクションのショー団長の肩書を名乗るには政府傘下の文化広報処が発給する資格証が必要で、一種の公務員のような待遇を受けていた。ショー団長は大きな会社でも一、二名しかいない非常に高い地位で、どれだけ能力が優れていてもバックがなければ団長証を貰うのは難しかった。一流バンドマンだったミスター・ホンもバンドマスターになってからショー団長の座に就くまで何年もかかったのに、楽器一つ弾けないチャン理事は後ろ盾になってくれた会長の力で先に団長証を貰ってから世紀興行に入ったのだから、法律よりもバックがものをいう世界だった。

チャン理事と彼の背後にいる会長はもちろんのこと、ソウル市内の有名劇場のオーナーは全員つながっているのだと聞いた。ミスター・ホンは団員を相手にちまちまと日歩(ひぶ)でカネを貸していたが、ヤクザ出身のチャン理事はスケールが大きく、個人の負債だけで毎月数万ウォンを超えた。北斗興行時代にたびたび金貸しから酒代を借りて弟に怒られていたジュンチョルも、チャン理事からカネを借りるような真似はしなかった。

八軍芸能界の華やかさの裏では、きな臭い争いが渦巻いていた。米軍から流れ出るドルのニオイを嗅ぎつけた野犬たちが四方から群がって暗躍していた。芸能界の金づるである米軍クラブはすべて基地周辺に集まっているため、芸能プロダクションは基地の街を支配するヤクザたちと関係を持たざるをえなかった。高級公務員出身や元警察幹部が堂々と風俗店を経営している世の中で、ヤクザが芸能界と共存するのは不思議なことではなかった。

公にはできないが、芸能プロダクションの生態は風俗店と変わりなかった。プロダクションは一銭でも多く稼げるように芸能人の尻を叩きながら、給料は一銭でも安くしようと計略を企てた。カネのために嘘と詐欺と暴力が当たり前のように蔓延した。プロダクションの搾取に耐えかねた芸能人たちが検察に上申書を提出することも頻繁にあったが、力のない個人が企業を相手に勝利するような奇跡は起こらなかった。

「今度の日曜日には練習をサボって団成社(ダンソンサ)〔鍾路三街の歴史ある映画館で、現在は映画歴史館として開館している〕にでも行くか。帰りには熱々のソルロンタンにマッコリ一杯、どうだ?」

出勤後にクッパ屋で昼食を食べながらジュンチョルが提案した。みんなも同意したが、ガンヨプだけは首を振った。

「俺はちょっと。キキとデートなんだ」

カチャリと音を立てて俺の手から箸が床に落ちた。ジュンチョルが米粒を飛ばしながら興奮して言った。

「ついに落としたのか?」

「ああ、なんとかものにしたよ」

俺は急いで床に落ちた箸を拾い、落胆を隠した。結局そうなったのか。俺が部屋にこもってラブソングの歌詞を書いたり消したりしていた間に、キキとガンヨプの仲は着々と進展していたのだ。

「噂どおり、あっちは最高か?」

ジュンソクの意地悪な質問にガンヨプは何も言わず、ニヤリと笑いながらうなずいた。俺はこれ以上耐えられず、便所に行くと言って店の外に走り出た。片腹痛しとはよく言ったもので、二人が恋愛関係だと聞いた途端に本当に腹がしくしくと痛みだしたのだ。

キキとガンヨプの交際のニュースは光の速さで広まった。十六歳の若さで所帯持ちのショー団長と不倫関係を結んだ肝の座った女が、一介のバンドマンと恋に落ちるだなんて、見方によってはそこらのロマンス映画顔負けのドラマだった。数日も経たずに、二人は一緒に住んでいるという噂が出まわった。ガンヨプは嘘だと笑い飛ばしたが、熱しやすい二人ならおかしくない話だった。

「イ・ガンヨプは顔だけはいいからね。マーロン・ブランドにそっくりでしょ?」

「男の顔がいいと女は苦労するだけよ。キキだって浅はかだよ。男を食べさせなきゃいけないかもしれないのに」

「それぐらい何だって言うの、前の男だってキキが面倒見てたじゃないか」

「ミスター・ホンはショー団長の肩書があるじゃない。イ・ガンヨプから顔を取ったら何が残る?」

「ふん、女の運命ってのは数奇なもんだね。天下のキキ・キムも抗えないんだからさ」

今日もクラブの楽屋ではショーガールたちが噂話に花を咲かせていた。ヘルパー時代なら好奇心を満たすためにじっと聞いていただろうが、今は事情が違う。

「ちょっと言いすぎじゃないですか」

俺が牽制すると、ショーガールたちは鳩の羽のような付け睫をしばたかせながら泰然と受け流した。

「あら、人がいたなんて気づかなかったわ」

こいつらときたら。俺がまだヘルパー風情に見えるのか? 悔しさが湧き上がった。ちょうどショーガールの誰かが落としたのか、マックスファクターの白粉が転がってきて俺の足に当たった。俺はわざとそれをつま先で蹴ってやった。雲のような煙を上げて白粉がひっくり返った。ショーガールたちは慌てて床にしゃがみ込み、手のひらで粉を集めながら俺に悪態をついた。俺は知らんぷりをして楽屋を出た。タバコを立て続けに吸いながら怒りを鎮めると、後から恥ずかしさに襲われた。

幼稚な腹いせはその瞬間だけすっきりするが、腹の中は依然として重苦しかった。キキがよりによってガンヨプとそんな仲になるなんて。キキに対する俺の恋心は、もはや家族同然の先輩たちにも話せない秘密になってしまった。山の中に入って水垢離（みずごり）でもしてこようか。ちゃんちゃらおかしい話だ。勝手に好きになって勝手に失恋して、哀れで情けない。初恋なんてこんなものなのか？

苦しんでいた俺は結局、水垢離の代わりにヤンキーのジェリーに事情を打ち明けた。俺の初恋の相手がかの有名なキキ・キムだなんて、いくら相手がアメリカ人でも信じてもらえなさそうな気がして、ただ美貌と才能に優れた、なかなかいない女だとだけ話した。ジェリーは俺の告白を興味津々に聞くと、こう尋ねた。

「どうして他の男に取られる前に気持ちを伝えなかったんだ？」

「韓国語のことわざに『登れない木は見上げるな』っていう言葉があるんだ。俺の気持ちをこの言葉に代えるよ」

「まったく残酷な格言だな。俺も学生時代に片思いしてた子がいたんだ。猫みたいなグリーンの瞳をした、金髪の南部美人だったよ。学校の男全員がその子とダンスを踊ろうと行列したほどさ。結局、腕っぷしの強いホッケーチームの主将がその子を手に入れたんだ。一か月も経たずにそいつが他の女と浮気したせいで破局したけどな。その子がクラスメイトに囲まれてわんわん泣いてた姿を今でも覚えてるよ。とかく女ってやつは、そういう男を好きになるものさ」

俺はこう聞き返した。

「それで、君はその子に話しかけてみたのか?」

「ラブレターを何通か渡したけど、振り向いてもくれなかったよ。俺みたいに求愛する男が多すぎたみたいでさ。まあ、後から俺にもガールフレンドができたんだけど。牛の毛みたいに黒い髪の毛に、おばあさんみたいにぶ厚い眼鏡をかけた不細工だったけどな。それでもその子は俺のことを大好きでいてくれたんだ……」

「結論は、人気者にちょっかいを出しても意味はないってことだな」

「それが何だよ。人気がない奴にだって木を見上げる権利はあるさ」

厄介者で変人のジェリーも、俺よりは男らしかった。結局、ジェリーにも俺の本心をすべて打ち明けることはできなかった。言葉の壁もあったが、俺の英語が完璧だったとしても、キキを初めて見た日の畏敬の念をどうやって言葉で説明できるだろうか。そもそもが、愛という感情を言葉で表現するなんてとんでもない話だ。光り輝くステージの上で縦横無尽にタップダンスを披露するキキと、ステージの下でかぎりない尊敬とともに見上げていた新米ヘルパーとの間の果てしない距離を、ソウルとラスベガスの間ほど遠いその間隙を越えたいと願う愚かな心を言葉で表したら、目を覆うほどつまらない文字になるのではないだろうか。俺には自己憐憫に浸れるほどの図々しさもなかった。

その日の夜、俺は自分の部屋で空(す)きっ腹に焼酎二瓶を流し込み、歌詞を書いては消しを繰り返したノートを破り捨てた。そして、伝えられなかったラブソングとむなしい望みを遠くに放り投げた。

二月、ナット・キング・コールが十三人のビッグバンドを率いてソウル市民会館で来韓公演を行うという朗報が伝えられた。チケットを手に入れるのは至難の業だったが、心配には及ばなかった。キキがいたからだ。

「心配いらないわ、私が特別席をとっておくから」

そう豪語してから数日で、キキは天才少女歌手時代から親しくしている大手レコード会社の会長を通して貴重なチケットを五枚も、それもすべて最前列の特別席で手配してくれた。芸能界の人脈とは、こういうときに真価を発揮するのかと思った。

しかし、俺たちは結局ナット・キング・コールの公演を観られなかった。キキも俺たちもそれぞれ地方公演が入ったせいだった。ナット・キング・コールがソウル市内で熱演する間、俺たちははるばる大邱(テグ)まで行って空軍基地でショーを行った。芸能人という身分のおかげで貴重なチケットを手に入れたのに、芸能人という身分のせいでチケットを無駄にするなんてなんという皮肉だと、ナット・キング・コールを愛するガンヨプが嘆いた。

三月中旬、朴正煕（パクチョンヒ）議長は軍事革命初期に発表した民政移管の手続きと憲法改正案を撤回し、軍政を四年延長するという内容の声明を発表した。初めて公約に背（そむ）いただけでなく、わずか一か月前に発表したばかりの民政移管の声明も、二週間余り前に発表した宣誓をも覆す一方的な宣言だった。野党の政治家たちは一斉に反対の声明を出し、大学生たちは激しいデモを行った。これを受け、軍事政権は年初に解禁した言論・出版と集会の自由にふたたびブレーキをかけた。結局、アメリカの介入で軍政延長は行われなかったが、すでに〝ナンバー2〟の金鍾泌（キムジョンピル）を筆頭に民主共和党という与党が準備されていた。

翌月には東亜放送が開局した。開局と同時にキキにテレビ広告の出演依頼が入った。チャン理事が事務所に日本製のテレビを一台設置したおかげで、女性用美容クリームの広告に出演したキキの姿を全員で見ることができた。同じ月には、昨年末に完工したウォーカーヒルホテルが正式にオープンした。開館式にはジャズトランペットの名手、ルイ・アームストロングが来韓し、祝賀公演を行った。ルイ・アームストロングの公演は、政府高官や在韓米軍のトップだけに公開された貴賓専用公演だった。工事費に五百万ドルをかけた豪華なホテルを見物するために市民たちは貸し切りバスでやってきて、入場料を払って長い列を作った。

しばらくして、キッド・チェがボーカルバンドを結成したというニュースが伝えられた。彼はバンド結成と同時にデビューアルバムを録音し、話題を呼んだ。ワイルドキャッツもアルバムを出さないかと提案されたが、結局実現しなかった。歌手がレコードを吹き込むと話題にはなるが、レコードプレーヤーが大変な贅沢品とされていた時代にレコードを売って得られる収益はほとんどなかったため、一流ミュージシャンもレコードを出すことにはあまりこだわらなかった。

ほとんどが洋楽のカバー曲からなるキッド・チェのバンドのレコードは、最後に彼の自作曲が収録されていた。後から入手して聴いてみたが、かなりよくできたブルースで、ボーカルも上手だった。ソロで芸能界にデビューしてから三年も経たずにバンドを結成し、自作曲まで発表するキッド・チェの才能はやはり天才的だと感嘆する俺の横で、ガンヨプはどうせ儲かるのはレコード会社だけだと鼻で笑った。レコードを録音する時間があれば、クラブでショーを一回でも多くやるのがずっとましだと言うのだった。ジュンチョル兄弟もその意見に同意した。一般大衆は芸能人を別世界の人間を見るように神聖視したり、蔑視したりするが、タンタラの仕事も結局のところ口に糊して働くなりわいだという面では他の仕事と変わりなかった。

桜が満開の頃、俺たちは初めて一般のステージに進出した。明洞(ミョンドン)の美郵満(ミウマン)百貨店にある音楽茶房「ラ・スカラ」でベンチャーズやエルヴィス・プレスリーなど、人気のレパートリー数曲を演奏した。最初は腕組みをして、俺の耳を満足させてみろとばかりの態度で聴いていた観客たちは、公演が終わると歓声をあげ、拍手喝采した。とくに女性の観客の間でのガンヨプの人気は大変なものだった。「マーロン・ブランドに似たギタリストがプレスリーの歌を上手に歌う」という噂が広がり、女性ファンがどこの会場にも追いかけてきてガンヨプに熱視線を送った。

　長い間、八軍芸能人たちは米軍基地と外の世界を区分する鉄条網の中に幽閉された存在だった。原則として八軍芸能人は一般人向けのステージに出演することが禁止されていたが、五〇年代の大衆文化の発展に寄与したという名目のもと、ソウル市民会館で「オールスターショー」と題した複数のバンドの合同公演が定例行事として定着してからは、八軍芸能人もたびたび一般の舞台に立つことができた。ただし、八軍芸能人は一般の舞台では英語の曲を歌ってはいけないとされていた。有名シンガーたちは勤倹節約、贅沢根絶などのテーマで作られた啓蒙歌謡を歌ったりもした。アメリカンスタイルのバンドを従え、歌手もタキシードを着ているのに、英語だけは禁止だなんてこれ以上のコメディはなかった。しかもその原則は事実上、市民会館のような大型公演だけに適用され、一般向けの音楽茶房やキャバレー、ビアホールなどで開かれる小規模な公演まで取り締まりを受けることはほとんどなかった。そもそもこのような場所に来る観客は、全員ＡＦＫＮを愛聴し、最新のビルボードチャートを暗記しているような若者たちだった。


「ヒョン兄さん？」

　音楽茶房での公演を終えた後、楽器を片付けているところだった。俺に話しかける人がいるなんて、と振り向くと、一番下のいとこのジョンスだった。

「ジョンスじゃないか」

俺はギターを下ろして叫んだ。ジョンスが羽織っているジャケットの襟に光るＫ大学のバッジが最初に目に入った。いとこの中で一番勉強ができたジョンスは叔母の期待を一身に背負い、叔父の工場が傾いてからも高麗人参だの霊芝だのと、あらゆる漢方薬を飲みながら試験勉強に命を捧げた。叔母の願いどおり、誰もが知る名門大に合格したのだから、幸いなことだった。

「大学では何を勉強してるんだ？」

「文理学科だよ。ところで兄さんはバンドマンにでもなったのか？」

「ご覧のとおりさ」

ギターを指さして答えると、ジョンスは憎々しげに吐き捨てた。

「ドルの味が病みつきになったみたいだな」

俺の心に冷たいものが広がった。振り返れば憎らしい思い出の方が楽しい思い出よりずっと多いいとこだったが、それでも久しぶりに再会した肉親だからと優しく応対したのに、こんな皮肉を言われるなんて。血が逆流したが、ぐっとこらえて話題を変えた。

「おまえもここによく来るみたいだな」

ジョンスはゴホゴホと咳払いをしてつぶやいた。

「友達に連れられて来ただけだよ」

「叔父さんと叔母さんは元気にしてるか？」

「まあな。兄さんが米軍基地で働いてるって噂は聞いてたけど、タンタラになってるなんて知らなかったよ」

「そんな言い方はないだろ」

話題を変えようとしてもしきりに絡んでくるので、耐えきれずに言い返すと、ジョンスは顔をゆがめた。

「母さんがどれだけ恥ずかしがってるか知ってるか？　うちの家系にヤンキータンタラがいるなんてさ」

「昌信洞（チャンシンドン）に十年も住んでたけど、叔母さんが俺のことを家族と認めてくれてたなんて夢にも思わなかったよ」

「卑怯なこと言うなよ！　父さんがどれだけ兄さんの味方をしてたか……、わざわざ家を出てまでやる仕事がヤンキーの前でピエロになることか？　恩知らずにも程があるだろう」

俺は黙ってジョンスが着ている服とその手にある革のカバンを見た。蝶よ花よと育てられ、叔母が一所懸命揃えてやった服を着た姿。体にぴったり合ったジャケットは洋服店であつらえたものだろうが、コール天のズボンと革のカバンは明らかに南大門（ナムデムン）のヤンキー市場で買ったものだ。正式にオーダーすれば生地代だけでも数千ウォンもするから、市民の多くは卒業式や結婚式で着る一張羅をヤンキー市場で買った。それを批判する資格が誰にあるだろうか？　それなのに、全身をアメリカ製品で固めた大学生は、ヤンキータンタラをいじめる資格を得ている。

他人のことならただ笑って聞き流すこともできるが、笑いの代わりに怒りが沸き上がった。俺がなぜ今になってそんなことを言われなければならないのか。どうせ叔母のせりふをそのまま真似しているだけだろうが、大学生になってもまったく成長していないジョンスの姿が嘆かわしいのと同じぐらい、独立してもまだ主人の息子の前で萎縮してしまう自分の卑屈さが嫌だった。

　離れたところから俺たちのやりとりを見守っていた先輩たちが割り込んだ。

「兄ちゃん、さっきからタンタラタンタラって、聞き捨てならねえな」

「タンタラの前でタンタラの悪口を言うなら、ショバ代でも払ってからにしてくれよ」

　体格のいいジュンチョルとガンヨプが目をひんむいて脅すと、ジョンスは真っ青になった。俺はジョンスの前に立ちはだかって捨てぜりふを吐いた。

「俺は忙しいからこれで。元気でな、ジョンス。叔父さんにもよろしく伝えてくれよ」

　彼は挨拶の代わりにジャケットの内ポケットからタバコを出し、フィルターを噛みながら顔を背けた。親戚同士の再会は、互いに侮辱感だけを残して終わった。同じ家に住んでいたときはカネ食い虫扱いで、自立したと思ったら今度はヤンキータンタラ扱いとは。俺がどうなったら認めるつもりだ？　言えなかった言葉が今になってこみ上げ、歯ぎしりする俺にジュンソクが話しかけた。

「あいつはおまえのことが羨ましいみたいだな」

　柔らかい口調の中に、鋭い刃先(はさき)が潜んでいた。俺は分別なく怒りをぶちまけた。

「何が羨ましいんですか。恵まれた奴が何を言ってるんだか」

ガンヨプがタバコの煙を盛大に吐き出しながら俺の言葉を受け流した。

「アイゴー、名門大生はタンタラがよっぽど羨ましいんだろうな」

「なんだよ、大学出のバンドマンだってたくさんいるぜ」

ジュンソクがいきり立った。勉強さえ続けていれば名門大に入れる秀才だったという彼は複雑な心情だろう。

「大学を出た芸能人が話題になる理由は何だと思う？　大学まで出たのにタンタラになるなんてあきれてるのさ」

ジュンチョルが素早く仲裁に入った。

「おい、生まれつき頭でっかちなのがインテリ大学生の特徴じゃないか。だからこそ革命もデモもできるのさ。久しぶりに早く終わったんだから、楽器はヘルパーに任せて晩めしでも食いに行こうじゃないか。ここの前に麵のうまい店があるんだ」

ジュンチョルが俺の肩を抱いて先頭に立った。俺は最後にもう一度、後ろを振り返った。ジョンスは一緒に来た学生の一団と一緒に、俺のことを不倶戴天（ふぐたいてん）の敵のように睨んでいた。落ち着いて考えると、その視線は本当に甘ったれたものだった。

ふと、幼い頃の記憶が思い出された。俺が中学生のとき、まだ小学生だったジョンスは、俺に負けない洋楽ファンだった。叔母に隠れて一緒に布団をかぶり、夜通しＡＦＫＮを聴きながら歌詞を書き取った。俺の代わりに庭に出て、鉱石ラジオのアンテナの役割をする銅線を物干し竿（ざお）にあちこち引っかけて周波数を合わせたりもした。ジョンスは間違いなく今も、毎晩ＡＦＫＮに心酔しているはずだ。母親から禁止され、政府と社会から排斥される米国文化を知性の言語で堂々と批判できるようになった一方、より精巧な罪悪感の下で数十倍に増幅された密やかな快感を楽しんでいることだろう。

ジョンスとの再会をきっかけに、ある事実が俺の心に大きな亀裂を作った。叔父一家と俺の間には深い河が流れていて、永遠にその河を渡ることはできないという事実だった。

数日後、酒の席で俺の不愉快な再会がキキにも伝えられた。俺の話を聞いたキキは鼻で笑った。

「タンタラって言われたぐらいでいちいち腹を立ててたら、私なんて何万回も死んでるわ」

「だけど……」

「この前なんて、どんなことがあったか知ってる？　いつもどおりクラブに公演に行ったら、ドアの前で若いヤンキーのひよっこが前を塞いで保険証を出せって言うんです」

「保険証？」

ぽかんとして聞き返す俺に、キキは冷めた顔で言い放った。

「基地に出入りする売春婦の登録証のことよ」

俺はにわかに恥ずかしくなった。俺がタンタラと言われて何日も苦しんでいる間、天下のキキ・キムは米軍の兵卒に娼婦扱いされていたのだ。

「母は私を世界で一番愛してるけど、いまだに私がタンタラをやめて良家に嫁に行くことだけを祈ってるわ」

「それが娘を持つ親心ってものさ」

ジュンチョルの慰めは、むしろキキの怒りに火をつけた。キキは焼酎のグラスを握ると、説教する牧師のように演説を打ち始めた。

「母が毎日磨き上げてる一軒家は誰のお金で建てたと思ってるの？　私が稼いだお金で子どもを名門校に入れた親戚は、私の功績をわかってくれてると思う？　とんでもない。私だってそんなこと望んでもいないわよ。売春婦だろうが、ヤンキーの前でストリップショーをする狂った女だろうが、好きに言うがいいわ。ヤンキーたちがスタンディングオベーションして、基地の外まで迎えに来てくれて、数十人の兵士が私を見るためだけにトラックに乗って数百キロを走ってきて、たった一度観ただけのショーに敬意を表するってニューヨークからプレゼントを送ってきて、ラスベガスで二番目に大きいホテルのクラブのマネージャーが必ずアメリカで会おうって握手を求めてくることを、若い韓国人の女が才能と努力だけで成し遂げられるなんて、誰も夢にも思わないでしょう。こんな世の中だもの、理解はするわ。だけど私が奴隷だとでも言うの？　考えてみれば、夢も持たずに生きている方が奴隷じゃないの？　私は二十年間生きてきて、一度だって自分が奴隷だと考えたことはないわ」

キキがこれだけ長い間、自分の心情を吐露する姿は初めてだった。ジュンチョルがキキの空いたグラスに酒を注いでおだててやった。

「そうだよ、われらがキキ・キムが天下一のシンガーだってことを知らない奴はいないさ。わかる奴がわかればそれでいいだろう」

「俺たちが住む芸能界はからくり箱みたいなものだから、一般人に理解を求めること自体が乱暴だし、思い上がりだよ」

「そうね、私が幼稚だった。ジュンソクさんの言うとおりだわ」

キキがうなずいた。ガンヨプが笑った。

「勝手に言わせとけよ。タンタラ人生がどれだけ素晴らしいか、知らない奴らがかわいそうだよ、なあ?」

「そのとおり。中華料理屋でツケ払いできる楽しみを善良な市民たちが知ってたまるかよ」

朴正煕(パクチョンヒ)政権の目標は革命を通じた秩序再建だったが、そのためには退廃文化が撲滅されなければならなかった。軍事クーデター直後に次々に開かれた軍事裁判では、経済ヤクザの李丁載(イジョンジェ)のような凶悪犯だけでなく、ダンスホールでマンボダンスを踊った若者たちも罪人になった。公序良俗をそこない、市民道徳を堕落させる外国文化に後ろ指をさす一方で、新聞は米八軍芸能人が稼ぐドルの金額を特筆大書(とくひつたいしょ)して称賛した。芸能プロダクションは政府傘下の軍納業者であり、所属芸能人は米ドルを稼いで国民所得の増大に貢献する輸出産業の一員だった。実際に芸能人たちが八軍で稼ぐ一年分の所得総額は、韓国全体の製造業の輸出総利益をはるかに上まわった。国の繁栄に寄与するかぎり、堕落したヤンキータンタラも許されるという論理だった。

例外が存在する革命は矛盾している。しかし、この国で矛盾は日常的に起こることだったから、人々は疑問を抱く必要性を感じなかった。軍事革命直後にはキャバレーやダンスホールだけでなく、高級料亭やバーも一斉に店を畳まなければならなかったが、一夜にして店を失った料亭の女将たちは涙を呑んで粗末な一杯飲み屋を開店する「下野」をせざるをえず、「下野女将」の飲み屋が市内のあちこちで繁盛しているのだから笑うに笑えない話だった。

硬直していた社会の雰囲気は、年を追うごとに和らいでいった。いくら退廃のレッテルを貼っても、文化の流れを止めることはできなかった。口には出さなくても、大衆は最新音楽とダンスを求めた。文化放送や東亜放送など、次々に開局した民間放送局はミュージシャンを必要とし、ウォーカーヒルホテルを筆頭に有名ホテルのレストランでも専属シンガーやバンドを常に募集していた。ジョンスの皮肉をよそに、タンタラの需要はますます増えていった。

「公演、よかったです」

最初は人違いだと思った。俺は久しぶりの休日にニューワールドで雑誌を読んでいた。

「公演、よかったですよ」

俺のことか？　俺はようやく雑誌を置いて話しかけてきた人物を見上げた。ウールのワンピースを着た若い女が立っていた。片手にハンドバッグをかけ、もう片方の手には小さな風呂敷包みを抱えているのを見ると、茶房のウェイトレスではないようだ。

「どなたでしたっけ?」

「私、観客です。ワイルドキャッツの公演、すごくよかったです」

観客ということは、まさか俺たちのバンドの〝ファン〟なのだろうか。一般のステージに進出してからは、俺たちにも固定ファンができた。会社にファンレターもかなり送られてきていたが、ほとんどは女性ファンからの手紙だった。読んでみると、大半がラブレターと変わらない内容だったので、やはり女とは奇妙な存在だと思った。とにかく初対面の若い女に声をかけられたのは生まれて初めてだった。

「ありがとうございます」

照れくさいながらも頭を下げると、女はにっこりと笑って耳の下に落ちるくせっ毛を指でかき上げた。

「ギタリストの方ですよね? とっても格好よかったです。ここの常連なんですか?」

「はい、まあ、そんなところです」

「レディを座らせてもくれないのね?」

「あ、すみません、どうぞ」

女はまたにっこりと笑って俺の向かいに座った。彼女は座るやいなや、持っていた風呂敷包みをテーブルの上に広げた。包みの中からは大きなアルマイトの弁当箱が出てきた。

「私、ここに来るときはできるだけ長く座っていこうと思って、お弁当持ってくるんです」

艶々（つやつや）と光る白米に黄色いキビを混ぜて炊いたご飯に、大根の漬物とネギのキムチをたっぷり詰めた弁当だった。女は新聞紙に包んだ味噌も広げた。ちょうど昼飯を食べ損ねていたので、思わず生唾が出た。彼女はどこから持ってきたのか、箸を俺に手渡して食べろと勧めた。

女の名前はキョンジャだった。年は俺より一歳下の二十歳。もともとは家族と東豆川（トンドゥチョン）に住んでいたが、昨冬から仲良しの友達とソウルで下宿先を探し、退渓路（テゲロ）にある洋装店で販売員をしていると言った。米軍のジェリーのように、キョンジャも大変なおしゃべりだった。勝手に近づいてきて勝手に親近感を示すところもジェリーと同じだった。ジェリーがそうだったように、自分のことを好いてくれる人をあえて遠ざける理由もないので、キョンジャがしたいようにさせておいた。数日経つと、彼女は俺が住む万里洞（マルリドン）までついてくるようになった。

「芸能人は一日三食を中華料理屋で食べるんですってね？　おいしいでしょうけど、それじゃ体を壊してしまうわ」

キョンジャはニューワールドに持ってきた弁当の二倍はありそうな弁当を作ってきては小言を言った。その言葉どおり毎食外で食べていたから、久々に手料理を食べると消化もいいし、気分もよかった。俺が弁当を平らげると、気をよくしたキョンジャは万里洞の市場で買い物をして俺の家で直接料理を作るようになった。俺は拒絶する理由もなかったので、与えられるままパクパクと食べた。俺が食べている間、彼女は自分の食事を後まわしにして俺の横に座り、お茶を注いだり、食後に食べるおこげを作ったりと忙しく動きまわった。まるで母親のようだった。

「ギターの兄さん、嫁さん貰ったのかい?」

そうやってキョンジャと過ごすようになってから二週間ほど経っただろうか。通りすがりに独身男の部屋を覗くのが趣味の大家のおばあさんにそう聞かれて、ふと目が覚めた。会社ではすでに俺が若い女と所帯を持ったという噂が広まっていた。意地悪なジュンチョルは俺を見るたびにからかった。

「奥手のくせにやるじゃないか。えらいぞ、末っ子よ」

ガンヨプは、カサノバらしく真面目に助言した。

「今に痛い目に遭うぞ。そのうち赤ん坊を背負って押しかけてくるかもな」

「それはおまえの経験談だろ?」

「どんな姉ちゃんだ? 一度会わせてくれよな」

ジュンソクまでニヤニヤしながらからかってきた。俺は冷や汗をかきながら手を振った。

「そういうのじゃないんです。ただ勝手に押しかけてきて居座ってるだけで」

「アイゴー、その様子じゃ近いうちに婿入りだな」

まだキョンジャとは一線を越えていなかったが、誰も信じてくれなかった。それもそのはず、独身男の一人暮らしの家に若い女が出入りしているのに、これまで何もなかったなんて話を誰が信じるだろうか。しかし、事実は事実なのだからどうしようもない。二十一になるまで俺の女性経験は皆無に近く、叔父の工場に住んでいたときから恋愛とは縁もゆかりもなかったし、たまに工場の従業員が風俗店に行くときも、そのカネで音楽茶房に一日中いられるのにもったいないという考えが最初に浮かぶ純朴な男だった。ヘルパーになってからはウギに連れられて風俗店で童貞を捨てたが、素人の女性相手には手も足も出なかった。

あるとき、キョンジャが通行禁止時間の夜十二時直前まで俺の部屋から帰らなかったことがあった。通行禁止令は市民を足止めする息苦しい制度だったが、若い男女にとっては事を起こすのにおあつらえ向きの口実になった。しかし、俺は必ずキョンジャの背中を押して自分の家に帰らせた。翌日、キョンジャは帰り道に取り締まりの巡査に捕まって派出所で夜を明かす屈辱を味わったと腹を立てたが、俺は聞こえなかったふりをした。

だからといって、彼女を女として見ていないわけでもなかった。キョンジャが勝手に俺の嫁や母親役を気取っているのがそう嫌でもなかった。彼女が作ってくれる食事はおいしかったし、むさ苦しい独身男の部屋に女の手が行き届き、すっきりときれいになるのが気持ちよくないはずがなかった。しかし、台所にしゃがみ込んで大盛の飯をよそっているキョンジャの姿を見ていると、叔父の家にいた女中のマルスン姉さんを思い出さずにはいられなかった。ずんぐりした後ろ姿を見ていると、リスのようにすばしこいキキの体を思い出し、いくら化粧をしてもどこか物足りない顔を見ていると、目鼻立ちがはっきりしたキキのバタくさい顔を思い出してしまうのだった。

キョンジャは不細工でも美人でもない、ただ平凡な女だった。勉強よりも先に台所仕事を習い、大人になってからはお金を稼いで家計を助け、嫁に行けば婚家の暮らしを支える、数多くの娘たちの一人。一方、キキはキョンジャとはあらゆる面で正反対だった。著名な音楽家の娘として幼い頃から芸能界入りし、家事とは無縁だったキキは、キョンジャとは同じ女性として生まれただけで根本的に違っていた。俺は内心キョンジャを見下し、キキへの片思いに未練を残していた。彼女はそんな俺の心を見抜いていた。ともすれば俺にガールフレンドはいるのかと尋ねた。そのたびに俺はいないと本当のことを言い、キョンジャはそれに騙されてくれた。

結局、キキの耳にまで俺が女と暮らしているという噂が届いてしまった。笑顔で尋ねるキキに、なんと返事をするべきか悩ましいところだった。

「恋愛してるんですってね？」

「いやいや、恋愛だなんて」

「あら、目撃者は一人や二人じゃないのに？　ヒョンさんもジュンソクさんみたいに誠実な性格だと思ってたのに、意外だわ」

そう言いながら、特有の高く澄んだ声できゃっきゃと笑った。一緒に笑ってやり過ごせばよいものを、カチンときた俺は真顔で言い返した。

「本当に違うんです」

「あら、お嬢さんと一緒に買い物までしてるっていうじゃないの」

「違いますったら」

耐えきれずにそう腹を立てると、キキはすぐに謝罪した。

「ごめんなさい。言いすぎたわ」

やってしまった。心の中で自分を責める声が、なぜかガンヨプの声で聞こえた。俺が拗ねた子どもみたいで、キキがなだめる大人のようになった。

「誰がうちの末っ子をからかったんだ？　キキか？」

ガンヨプが割り込んで、わざとキキを怒るふりをした。

「違うわよ。誰がからかったっていうの？」

「誰が自分じゃないって？　怒るぞ」

秘密裏に恋愛中の二人は微妙な距離を置いているが、やりとりにはかすかな色っぽさが漂った。そのさりげなさが抱き合っているよりも何倍もいやらしく見えた。南山でケーブルカーに乗ったときの二人の仲のよさを、きょうだいのようなものだと勘違いしていた自分は、どれほど世間知らずだったのだろうか。

その日の夜にもキョンジャは弁当を持って家の前でじっと俺を待っていた。そのけなげな姿を見ると意味もなく怒りがこみ上げたが、ぐっとこらえて市場に焼酎を買いに行かせ、弁当をつまみに酒を飲んだ。四、五本を空けると酔いがまわり、ぼんやりとした視野にキョンジャの笑顔が浮かんだ。翌朝、二日酔いの目を開けると彼女は俺の横で眠っていた。しまったと思ったが、後の祭りだった。

「おまえもどうしようもなくバンドマンだな」

こんな話ができる相手はジェリーだけだった。俺の話に何か感銘を受けたのか、あれだけ好きなおしゃべりも後まわしにして一所懸命耳を傾けた末に出した結論だった。

「どういう意味だ?」

「好きな女は別にいて、他の女を手ごめにしたじゃないか」

「手ごめだなんて。嫌がっているのを無理やりにしたわけでもないのに……」

ジェリーは俺の言葉を聞きもしないで一方的にまくし立てた。

「バンドマンはみんなそうなんだよ。だから俺はバンドマンになりたかったんだ」

「俺が気に入った女はもうあきらめたよ。どうせ彼女は他の男と付き合ってるしな」

「それならその不細工で手を打てばいいだろ? 俺もガールフレンドと別れたのを今でも後悔してるんだ。韓国に来てみたらガールフレンドがいないのは俺だけだった。みんな嫁さんやガールフレンドの写真を財布に入れてるよ。梨泰院(イテウォン)の飲み屋の姉ちゃんも何かといえば俺にガールフレンドの写真を見せてくれってしつこいんだ。いないって言うと嘘をつくなってからかうし、まったくイライラするよ」

そろそろ生来のおしゃべりに火がついた彼の前で、俺は言葉を濁した。

「結婚なんてしたくもないよ。自分の面倒を見るので精いっぱいの奴が結婚だなんて」

ジェリーは何がそんなに楽しいのか、浮かれて叫んだ。

「そうさ、結婚は男の墓場だよ。やっぱりロックンロールだぜ、ロックンロールバンドボーイ、ヒョン!」

ヤンキーから悪い男扱いされるのは納得いかなかった。俺はガンヨプみたいにカサノバでもなく、キキに片思いはしていたが彼女には睫(まつげ)一本触れたこともないのに。キキとの恋愛という希望を捨てたこととは別に、キョンジャとは結婚はおろか恋愛する気さえ起きないのはどうしたことだろう。男というのは単純だから、一夜を過ごした後、俺に対するキョンジャの愛情がさらに燃え上がるのに反して俺の心は冷めていく一方だった。恋愛感情とはまったく不公平で不条理だった。キキは次第に遠ざかり、キョンジャは次第に近寄ってくるなか、俺の中でキキの存在は女性を超越した理想像としてさらに美化されていった。

二十歳のキキの才能は日々花開き、散っていった。テレビCM出演に続き、有名監督の映画の出演依頼も入ってきた。キキが世紀興行に入ってから、チャン理事は毎日笑顔が絶えなかった。現役の八軍女性シンガーのうち、キキが一番高いギャランティを貰っているというゴシップが新聞紙上を賑わせたりもした。名声に応えるためにキキは休む間もなく歌い踊り、有名レコード会社でレコードも吹き込んだ。十四歳のときに録音した最初のソロアルバム以来、二枚目のレコードだった。

アルバム録音に合わせて、人気雑誌「明朗」にキキの独占インタビューが掲載された。隠れて買ったその雑誌をじっくり読んでいると、またもや腹がしくしくと痛んで便所に駆け込むことになった。そのインタビューでは「某芸能事務所のバンドマン、J君との熱い艶聞（えんぶん）」についても触れていたのだ。J君がガンヨプを指しているのは明らかだった。その翌日、キョンジャは俺が公演に行っている間、キキが出ている新聞や雑誌を錆びた裁ちバサミでビリビリに切り裂いた。キョンジャはもちろん、誰にもキキに抱いている感情を表に出したことがないのに、どうして勘づいたのか。女の本能とは恐ろしいものだ。俺自身も良心が痛むところもあり、腹を立てることもばからしくて、何事もなかったかのように切られた雑誌を捨てた。

7. 夜のとばりが下りれば

Now when the day is ending and night begin to fall

Helen Thompson "Going Down to Big Mary's"

大統領選を前に政界は慌ただしく動きだした。クーデターを起こした軍部を勢力基盤とする民主共和党は、大規模な全党大会を開いて朴正熙（パクチョンヒ）議長を大統領候補に選出した。民政党をはじめとする野党は対抗馬を立てたが、分裂や脱党が相次ぐなかで陸軍士官学校出身者で固められた民主共和党の勢いに打ち勝つのは難しかった。軍政は包み紙だけを変え、順調に運営されていた。大衆は次第に不安を感じ始めたが、少なくない人々が過去の軍事クーデター直後に国中に広がった奔放な雰囲気に抵抗を感じ、軍政が標榜する秩序を歓迎したことに比べればはるかに反応が遅かった。

アメリカでは十二歳の天才少年、リトル・スティーヴィー・ワンダーが7インチシングル〈フィンガーティップス〉をリリースし、ビルボードチャートを席捲した。早産で生まれるやいなや視力を失ったスティーヴィー・ワンダーは、十一歳で同じ黒人で盲目のミュージシャン、レイ・チャールズのヒット曲をカバーして一躍有名になった。スティーヴィー少年はピアノにドラム、ハーモニカを自在に操って観客を魅了した。人々は〈フィンガーティップス〉のB面に収録された公演の実況録音を聴き、十一歳の少年の驚くべき才能に舌を巻いた。

物価は依然として下がる気配がなかった。初夏には恒例の水害が起こり、全国で数万人の被災者が発生した。幸いにも俺が住む万里洞（マルリドン）の家は丘の上にあったので被害を免れたが、キョンジャは水害の直撃を受けた。議政府（ウィジョンブ）〔ソウル北郊に位置する京畿道の都市〕に近いキョンジャの家が丸ごと水に浸かってしまったのだ。一夜にして被災者になった家族を助けるのに忙しく、彼女は一か月以上訪ねてこなかった。内心、そのまま俺を忘れてくれることを願ったのだが。

「ヒョンさん！　元気でしたか？」

夜遅く仕事から戻った俺に、女が走り寄ってきて叫んだ。誰かと思って見るとキョンジャだった。彼女の容貌は見る影もなかった。まん丸い顔はやつれて頬がこけ、おしゃれだった服装もくたびれていた。キョンジャは、被災した家族の面倒を見ている間に働いていた洋装店まで解雇されたと嘆きながら、俺の顔色をうかがった。こうなったからには俺の家に住めという提案を聞きたがっている様子だった。そんな心を知っていながら、俺は彼女が望む言葉をかけてやることができなかった。キョンジャとの新婚生活を想像するだけで、喉のあたりに何かが詰まったように苦しくなるのをどうしろというのだ。ジェリーの言葉どおり、俺は女の純情をもてあそぶ悪い男だった。

「ミランがおとといニューボートクラブの楽屋で泣きわめいて大騒ぎだったのよ。その日に家を訪ねて聞いてみたら……」

夏の終わり、芸能界のゴシップ製造元である女性団員の楽屋では、キキとイ・ガンヨプの秘密の仲についに亀裂が入ったという噂が立ち始めた。

「なになに、何だって?」

「それが、あの男が裏切ったらしいのよ。ミランの話ではワイルドキャッツのギタリストだっていうから驚いたわ」

「ワイルドキャッツのギタリストといえば、もしかしてあのマーロン・ブランド?」

「あいつらの中で生娘を妊娠させておいてとんずらする奴が他にいると思う?」

「イ・ガンヨプといえばキキ・キムと恋愛中じゃなかった? それなのに、ミランがガンヨプの子を妊娠しただって?」

「カマトトぶるんじゃないわよ。当然そいつが浮気したのよ」

「そうなると思ったわ。言ったでしょ? 顔のいい男なんて、女を泣かせるだけよ」

「それでミランはどうするって? ガンヨプは妊娠したこと知ってるの?」

「あのならず者が知ってるわけないじゃない」

ショーガールが自分たちだけで話している分にはよかったが、よりによってその瞬間、地方公演を終えたその足で帰京したキキが楽屋に入ってきたのが問題だった。キキは目をむきながら、ゴシップを並べていたショーガールを捕まえて問いつめ、ショーガールは自分は何も知らないとしらを切ったが、結局はつかみ合いの騒ぎになった。二人が髪の毛を引っ張り合ったという話が事実かどうかははっきりしないが、この刺激的な話題は世紀興行の芸能人の間で尾ひれがついて広まった。

「おまえ、本当にキキを置いて浮気したのか？」

ジュンチョルがそれとなく尋ねると、ガンヨプは腹を立てた。

「なんだよ、先輩までその話か？」

「ちょっと気になってさ」

「妊娠したなんて大嘘だよ」

昼食のソルロンタンの味もわからなかった。俺は機械のようにスプーンを動かし、全神経をガンヨプに集中させた。

「処女が妊娠するなんてありえないじゃないか」

ジュンソクまで合いの手を入れると、ガンヨプは持っていた箸を放り投げてタバコを取り出し、火をつけた。

「まったくショーガールの女どもときたら、嘘ばっかり言いやがって。たった一回関係しただけで妊娠だのなんだのって……」

「たった一回」だって？　それなら、ミランというショーガールと一回は事に及んだのは事実なのか。俺は生唾を飲み込んだ。ジュンチョルが肩をいからせて笑った。

「それでも、あのプライドの高いショーガールと遊んだなんてすごいじゃないか」

「キキにバレたらどうするんだよ？」

「知ったからどうするってんだ」

ガンヨプは傲慢に言い放ってタバコの煙を吐き出した。気のせいか、ガンヨプが愛煙しているタバコに混じった阿片のにおいが濃くなった。知らず知らず鼻の穴を膨らませていると、ソルロンタン屋の引き戸が開く音と一緒に世紀興行所属のバンドマンたちが一斉に入ってきた。彼らは争うようにガンヨプをからかった。

「おまえのせいで、キキ・キムとミランだかなんだかがニューボートでつかみ合いになったらしいぜ。おまえ、タマは無事か？」

「ええ、両方とも無傷ですよ」

「せいぜいきちんとしまっとくんだな。今晩キキに潰されないようにさ」

ガンヨプは先輩団員に話を合わせて笑った。俺はそれが理解できなかった。ちゃんと恋人がいるのに他の女とこれ見よがしに遊ぶ大胆さは置いておくとして、キョンジャのような平凡な女ならまだしも、あのキキ・キムを恋人にしておきながらどうして他の女に手を出す気になれるのだろうか。俺のような凡人はカサノバの度量にはついていけなかった。

キキは今頃、何を考えているだろうか。去年の冬、中華料理屋の前の街灯にもたれて真っ黒なあざのできた目に浮かんだ涙を人知れず拭っていたキキの姿が浮かんだ。高いプライドについた傷を人に見せられないまま、一人寂しく屈辱に耐えているのだろうか。それとも、妖婦らしくこぞとばかりに他の男と浮気しているだろうか。俺はなんとなく前者のような気がした。それも俺の希望、または妄想かもしれないが。

次の日には、キキがガンヨプとやり合ったという噂が広がった。その日の夜、キキは片方の頬がはれ上がったままステージに立ち、それが真実であることを証明した。一方、ガンヨプはキキが腹立ちまぎれにつかんだ石鍋で殴られたと、ズボンを上げて真っ赤にすりむけたふくらはぎを誇らしげに見せた。

最初にキキとガンヨプの恋愛話が広まったとき、人々は天下のキキ・キムと貧乏な新人バンドマンがどれだけ続くか見てみようと鼻であしらっていた。だが、今はムードが一変した。男たち全員がキキの鼻をへし折ったガンヨプを尊敬のまなざしで見た。財産も地位もなく、ギター一本だけでキキを手に入れ、堂々と他の女と浮気する放蕩者。ジェリーが言う「ロックンロールバンドボーイ」とは、俺のような中途半端な男よりもガンヨプのようなバンドマンにお似合いの称号だった。

俺は内心複雑だった。キキを恋人にしようという夢はあきらめるとしても、少なくともキキがガンヨプと幸せになることを願っていた。ミスター・ホンと付き合っていた頃のキキの顔には、いつも濃い影がつきまとっていた。荒波にもまれ、年を重ねた中年女の顔にできるような疲れた影をキキが拭い去ることを願った。二人は見るからに華やかな、絵になるカップルだった。若く魅力あふれるガンヨプは、ミスター・ホンとは違った。いや、違うべきだった。キキの幸せのためではなく、俺の情けない劣等感を少しでも慰めるために。

ガンヨプから漂う阿片のにおいは、日増しに濃くなっていた。俺だけの憶測ではないことは、ジュンソクの様子からも明らかだった。話を聞けば、ジュンソクはずっと前から彼のことを気にかけていた。

「俺たちがバンドを結成してから、阿片の量がぐっと増えたんだ。ニュースターダスト時代には退屈しのぎに吸っていたのに、いつの間にか中毒になったみたいだな。これだから阿片は怖いんだよ。このままじゃチョルシク先輩みたいになるかもしれないぜ」

ガンヨプがいないすきにジュンソクがこっそり話を切り出すと、ジュンチョルは首を振った。

「まさか。ガンヨプぐらいなら、この業界じゃ阿片中毒にも入らないよ」

「中学生のときから収容所に入ってた奴だぜ。もう一度麻薬に溺れない保証がどこにある?」

「おい、そんなの十年前の話だろ。その収容所で友達が死ぬのを見て心を入れ替えて出てきたっていうじゃないか」

「どちらにしても心配だな。チャン理事とぶつかることがなければいいけど……」

ジュンソクが本当に心配しているのは、ガンヨプの健康状態ではなかった。ガンヨプのせいで俺たちのバンド活動に支障が出るのではないかと危惧したのだった。一見おとなしい堅物のようだが、常に物事から一歩引いて冷静沈着さを維持している、そんなジュンソクが心から心配しているのは、同じ血を引くジュンチョルのことだけだと俺は本能的に察した。皮肉にも、俺がきょうだいのいない一人っ子の孤児だからこそ気づいたのだ。

「ヒョンはガンヨプを見てどう思う?」

ジュンチョルが突然俺に尋ねた。そういえば初めて会った瞬間から、彼はいつも阿片タバコをくわえていた。阿片タバコは、ジェームズ・ディーンのチェスターフィールド〔タバコの銘柄〕のように、ガンヨプといえば自然に連想するトレードマークだった。そんなスタイルがあつらえたスーツのようによく似合うガンヨプだから格好よい装身具に見えるが、阿片が人間の心身を破壊する恐ろしい麻薬だというのは厳然たる事実だった。

「さあ、確実に前よりは量が増えてるみたいですけど……」

「俺のいないところで何をそんなに楽しそうに話してるんだ?」

噂をすればなんとやらで、ガンヨプが入ってきたせいで全員口をつぐんだ。ガンヨプはふところからタバコを取り出してマッチの火をつけた。立ちのぼる阿片の煙の中で、ジュンソクとジュンチョルが意味ありげな視線を交わした。

「何をそんなに見てるんだ。欲しいなら一本やろうか?」

「おまえ最近、阿片にご執心の様子だな」

「このご時世、阿片でも吸わなきゃ何を楽しみに生きるって言うんだ?」

「いい加減にしろよ。そのままじゃ人生おしまいだぞ」

「何だと? おふくろみたいなこと言いやがって」

プカプカと阿片の煙を吐きながら笑うガンヨプは、これっぽっちも深刻さを自覚していないようだった。しかし、ジュンソクの心配はどんどん当たっていった。ある日、ガンヨプはショーを目前にして魂の抜けた人のようにぼんやりと座っていたかと思うと、突然、空中に向かってお化けでも追いかけるように腕を振りまわす阿片中毒者特有の症状を示し、俺たちを驚かせた。彼の恋人、キキの顔にはあざのように濃い影がかかり始めた。キキの顔に刻まれた影こそ、最も確実な証拠だった。キキの男——彼の転落の証拠。キキは一流らしく、常に笑顔で完璧にショーをこなしていたが、遠くから彼女を見守る俺の心は不安だった。

真夏になり、俺たちは三回目の米軍定例オーディションの準備に入った。最初と二回目のオーディションの結果はどちらもAクラスという好成績だったから、よりプレッシャーを感じた。その日が近づくと、俺たちはいつものように会社の倉庫と喫茶「牡丹」で夜通し血のにじむ練習をしたが、ガンヨプは練習を頻繁にサボるようになった。最初の数回は母親の調子が悪いだのと適当な言い訳をしていたが、そのうち説明もなしに無断欠席し、出てきたかと思えば演奏にまったく集中できなかった。リードギタリストが練習をサボっては、残りのメンバーがいくら一所懸命やっても意味がなかった。

オーディションは一週間後に迫っていた。その日は大変な猛暑で、最高気温が三十七度を超えた。夜中にも和らぐ気配のない暑さのなかで、小さな窓から入ってくる風だけがすべての店に閉じこもって練習するのだから死にそうだった。ガンヨプは例外で、用事を済ませたらすぐに戻ると出かけて行ったが、通行禁止時間まであと十分になっても戻らなかった。俺たちは蒸し器の中で蒸し上げられた餅のように伸びきったまま、ジュンチョルの母親が運んでくれた冷たい茶をがぶ飲みしながら彼の帰りを待った。ガンヨプが戻らなければ、練習をする意味がなかった。

「ガンヨプの奴、いつになったら戻るんだ？」

「知るか。今日もドタキャンかよ」

俺はギターを抱えたまま、ダラダラと流れる汗を袖で拭った。イライラが募った。ガンヨプはどこで何をしているのだろうか。これ以上の厄介者はいなかった。五分、三分、俺たちはなすすべもなく、壁掛け時計の分針を見上げるばかりだった。通行禁止が始まる十二時までわずか一分を残し、ガンヨプが店のドアを開けて入ってきた。ジュンチョルが暑さと怒りで真っ赤になった顔でドラムスティックを振りかざし、怒声をあげた。

「おいこの野郎！　待ちくたびれて死ぬかと思ったぜ。すっぽかすのも一度や二度じゃあるまいし、いったい何を考えてるんだ？」

「すぐ戻ろうと思ったんだよ。だけどキキのやつが離してくれなくてさ。あの女、カミさん気取りもいい加減にしろよな……」

「よりによって女を言い訳の道具にするのか？　落第してみんなで死にたいか？」

ジュンチョルが大声で怒鳴った。お人好しのジュンチョルがこれほど腹を立てているのに、ガンヨプは開き直った。横柄な態度で尻ポケットからタバコを抜いてくわえると、事もなげに言い放った。

「そう脅かすなよ。俺たちが落第するだって？　目をつむって演奏したってBクラスは確実だぜ」

「審査委員がどれだけ厳しいか知ってるだろ？　オーディションまであと一週間しか残ってないのに、まともに練習したのは四日にもならないんだぞ。最近のコンボバンドは実力を上げてるのに、こんな体たらくでどうするんだ？」

ジュンソクまで文句を言うと、ガンヨプは怒りを爆発させた。

「ぶつぶつと女みたいにうるさくてやってられないよ。練習やらないんなら俺は帰るぜ」

そう言うと、本当にギターを放り出して出て行ってしまった。阿片のにおいをさせながら通行禁止時間の取り締まりにでもひっかかれば大変なことになると、ジュンソクが慌てて追いかけ、なだめて連れ戻したが、その日の練習はひどいものだった。

定例オーディションの当日にもガンヨプの悪行は止まらなかった。オーディション前日の夜まで遊びまわっていたのか、集合時間から一時間も遅く酒に酔って会社に現れ、顰蹙を買った。ショー団長のチャン理事は、オーディション会場の楽屋にまでついてきて俺たちに発破をかけた。

「会社としてもワイルドキャッツには期待してるんだ。今回もAクラスだろうな？」

釜のふたのように分厚い手のひらを俺の肩に乗せたまま祈禱師のような口調で言ったが、士気が上がるどころかミスター・ホンのヒステリーが懐かしくなるほど背筋が寒くなった。死にそうな顔で舞台に上がったガンヨプは、二日酔いのガラガラの声でいい加減に歌を歌った。ギターの音程も外し、レパートリーも忘れてばかりだった。ショーを終えた後、俺たちを見る審査委員の表情だけでも悲惨な結果を十分に想像できた。最終評価は、落第をなんとか免れたCクラス。Aクラスの一流バンドから一瞬で三流バンドに転落してしまった。

肩を落として戻ってきた俺たちを、チャン理事は笑顔で迎えた。彼の本心は月給日に明らかになった。いつものように月給の入った封筒を受け取るや、ジュンソクの顔色が青ざめた。

「どうしてこれっぽっちしか入ってないんだ?」

AクラスからCクラスに落ちたことを考えても、金額があまりに少ないと言うのだ。半分になった給料から、理由のわからない手数料まで差し引かれたようだった。ジュンチョルがバンドを代表してチャン理事に問いただしに行くと、チャン理事はのうのうとこう答えた。

「ああ、そのことか?　イ・ガンヨプが前借りしてたカネだよ。足りないならあいつから貰うんだな」

大騒ぎになった。全員で均等に分ける月給を勝手に前借りするなんてありえない。俺たちはすぐにガンヨプを捕まえて責め立てたが、ガンヨプは悪態をつくだけで、まともな答えは返ってこなかった。先輩たちはガンヨプに内緒でキキを問いつめた。答えを避けるキキを拝み倒し、やっと一部始終を聞き出すことができた。

「お話にならないわ、めちゃくちゃよ。もう阿片なしには夜も眠れないはずよ。最近は博打に溺れて花札に麻雀に、ポーカーまで手を広げて大変なの。私があいつの代わりに返した借金だけでも一万ウォンは下らないわ。これ以上は出せないって怒ると、チャン理事のところに行ったのよ。どうしてだんだんあの男に似てくるのか……」

キキの最後の言葉は、蚊の鳴くように小さな声だったが、俺にははっきりと聞こえた。俺は背筋が寒くなった。「あの男」とは明らかにミスター・ホンのことだ。ガンヨプがミスター・ホンに似てきただなんて。一時は優秀な演奏者だったが、阿片中毒になって名声が地に落ちたミスター・ホンのように、ガンヨプもギターが弾けない体になってしまうのだろうか？　ギターのないガンヨプなんて、想像もできなかった。同じぐらいギターが弾けるギタリストはたくさんいるが、あれほど生まれついてのタンタラはいなかった。だが、世の中でどれほど多くのタンタラが酒と麻薬の誘惑と引き換えに才能と魅力を差し出し、廃人になって消えていくことだろう。

俺は天涯孤独の身だから、給料が少なくてもなんとか飯は食っていけるが、母親の喫茶店の経営費や弟たちの学費を出してやらなければならないジュンチョルは気が気でなかった。さらに、彼らは俺と違って北斗興行時代からガンヨプと一緒に過ごしてきた年月があるだけに、失望と落胆は比べものにならないほど大きかった。人間関係とは割れ物のようなもので、一度亀裂が入れば元どおりに修復するのは難しかった。ふたたびくっついたとしても、最初に入った亀裂は消えないものだ。

ガンヨプを責めてもなだめすかしても無駄だった。次の米軍定例オーディションは年末の予定だからまだ先だが、それまでの間、半分になった給料ではとうてい暮らしていけないと判断した先輩たちは、「闇ショー」に走った。闇ショーとは、バンドがプロダクションに内緒でクラブマネージャーと直接契約して行う公演のことで、会社が天引きする手数料がないため、不安定な経済状況に苦しめられる芸能人にとってはありがたい副収入をもたらしてくれた。俺たちは基地周辺はもちろん、ソウル市内の各地にあるキャバレーやクラブ、音楽茶房を回った。次の月給日までなんでもツケ払いにしていた贅沢な時代は昔話になった。その間にもガンヨプは相変わらず阿片を吸い、トラブルを起こしては俺たちの気を揉ませた。

龍山(ヨンサン)の近くで闇ショーを終えた俺たちは、久しぶりに行きつけの中華料理屋に集まって食事をしながら酒を飲んだ。いつも忙しいキキも、珍しく時間が合って合流した。盃(さかずき)が行き交う前からジュンチョルがガンヨプに説教をした。

「おまえ、今日も危うく舞台に穴をあけるところだったじゃないか。何やってるんだ?」

ガンヨプは、黙ったまま高粱酒(コーリャンしゅ)をがぶ飲みするばかりだった。以前のガンヨプなら、皮肉を言ったり冗談ではぐらかしたりして黙っていなかったのに、阿片中毒になってからは人格まで変わってしまったのか、口数がめっきり少なくなった。ジュンチョルは、またタバコを取り出して火をつけようとするガンヨプの手を叩きながら言った。

「いい加減、阿片はやめろよ!」

火の消えたマッチは店の床に落ちた。ずっと黙っていたキキが冷たい声で言い放った。

「意味ないわよ。吸ってるのは阿片だけだと思ってるの？」

するど、初めてガンヨプが口を開いた。

「女が割り込むんじゃねぇよ」

キキの整った顔がゆがみ、怒り狂って叫んだ。

「なによ、女は意見も言えないの？　阿片吸ってお金借りて歩くだけならまだましじゃない。ヘロインまでやってるって、どうして黙ってるの？　麻薬中毒者のくせにまだ恥の意識は残ってるみたいね」

ガンヨプは椅子を蹴って立ち上がった。俺たちが止める間もなく、叫びながら前に置かれた皿を両手で払い投げた。よりによって正面に座っていたキキは一瞬で残飯と酒を頭からかぶってしまった。彼はテーブルまでひっくり返すと、キキを殴り殺しそうな勢いで大声をあげた。

「このクソ女、頭を叩き割ってやろうか！」

「やめろよ、人がいる前だぞ」

ジュンチョルとジュンソクが左右から羽交い絞めにして止めたが、ガンヨプは理性を失っていた。キキを睨みつける彼の瞳は、黄色く濁った光を帯びていた。もはや俺が知っている魅力あふれる美男子ではなかった。二人はガンヨプをようやく捕まえて店の外に引きずり出したが、俺はキキと二人きりで店に取り残され、身の置き場がなかった。彼女は、ごみ箱に頭のてっぺんから逆さに突っ込まれて引っぱり出されたような姿でぶるぶると震えていた。俺は近くにあったティッシュを渡してやった。キキはティッシュで必死に顔を拭ったが、いくら拭いてもぶざまな格好は変わらなかった。表情を失って固まった彼女の顔は、魂が抜けた人形のようだった。

「あれ、キキ・キムじゃないか?」

誰かが大声で言うと、ようやくその顔に表情が戻った。耐えがたい屈辱に満ちた表情だった。人々のささやきはすぐに膨れ上がり、キキは両手で顔を覆って店の外に走り出てしまった。「どうしてあんなクズと付き合ったんですか? ……女にはそんなに男が必要なんですか?」キキの痛々しい姿を見守る俺の頭の中に浮かんだ問いは、去年の冬に泥酔したキキにやはり酔っていた俺が投げかけた愚問だった。申し訳ない気持ちになったが、許しを請うには遅すぎた。

チャン理事は麻薬の密輸にまで手を染めていた。もちろん、直接手を下して商売をしていたわけではなく、知り合いに事業をやらせていたのだが、その知り合いは全員ヤクザ時代の子分だったから、何をかいわんやだ。チャン理事本人は麻薬の麻の字も口に出さず、会社の役員として芸能人にカネを支払うだけだった。ガンヨプのような麻薬中毒の芸能人は、会社から給料を貰うとすぐクスリ代に使ってしまい、翌月の月給を前借りするか、それでも足りなければ借金をして麻薬を買った。チャン理事から出たカネが、回りまわってふたたび彼のふところに入る仕組みだった。その仕組みに一度はまると、麻薬中毒から抜け出せなくなるばかりか、雪だるま式に増える借金に追われて破産にまで至ることもあった。芸能人志望の若者なら誰もが八軍基地に集まってくるなかで、大金を稼ぐごく少数の一流スターを除くほとんどの芸能人は、いつでも取り換えのきく部品にすぎなかった。芸能人としての価値を一度失うと、そうやって絞り取られた。

ガンヨプはなんとか舞台には上がったが、もう以前のイ・ガンヨプではなかった。狂犬のように乱暴に振る舞ったかと思うと、その翌日には指先一つ動かせないほど激しく落ち込むことを繰り返した。俺たちの公演のクオリティは日を追うごとに落ちていった。舞台に上がっている時間以外はすべて練習や研究に費やしても足りないところを、フラフラの阿片中毒者を抱えているのだからどうしようもなかった。それでも義理堅いジュンチョルは、説教したり腹を立てたりしながらも、ガンヨプをなんとかバンドに縛りつけようと苦労していた。

ショーを終えて舞台を下りると、いつも胸が張り裂けそうなほどの恍惚感に襲われた。観客の歓呼や拍手喝采が耳元から消えず、朝まで眠れなかった。それが、いつの間にか先輩たちの顔色をうかがうことに必死になった。まるでヘルパー時代に戻ったような気分だった。夜遅く公演を終え、終電を逃して歩いて家に帰ると、全身が水を吸った綿のように重く、上着も脱がずに眠りに落ちてしまう日が続いた。

その日も変わらず疲れきって帰る途中だった。一日中酷使した腕をマッサージしながら坂道を這うように上っていると、家に向かう道の中ほどにある唯一の街灯の前に誰かがしゃがんでいた。

「どうしたんだ？」

誰かと思ったらキョンジャだった。キョンジャは俺を見ても立ち上がろうともせず、膝の間に顎（あご）をのせたまま陰気につぶやいた。

「喜ばないんですね」

「何日か来なかったから……、それで聞いてみたんだ」

「何日じゃなくて、二週間以上来られなかったんです」

そうだっただろうか。定例オーディションの後からずっと忙しく、キョンジャのことを考える暇がなかった。かたつむりのように丸くした体を伸ばそうともしない彼女になんと声をかけていいのかわからず、疲れも重なってイライラが募った。ともすればひどい言葉を言ってしまいそうだった。幸いにもそのとき、通行禁止時間三十分前を知らせるサイレンが鳴ってくれた。

「もうすぐ通行禁止時間だから、とりあえず中に入ろう」

俺は彼女を促して家に連れて入った。電気をつけて振り返ると、キョンジャの身なりはめちゃくちゃだった。パーマをかけた頭は誰かに掻きまわされたように乱れ、泥だらけの破れたスカートからは太ももが覗いていた。女一人で外を歩いていて大変な目に遭ったのではないかと驚く俺に、キョンジャは吐き捨てるように言った。

「私、家から追い出されたんです。売春婦とは一緒に住めないって」

「売春婦だなんて、どういうことだ？」

俺が飛び上がると、彼女は鼻水をすすりながら笑った。

「町中に噂が広がってるんですって。米軍と同居する売春婦が住んでる家だって。ヤンキーじゃなくてちゃんとした朝鮮人だし、同居もしていないって何度言っても信じてくれないんです。顔も見たくないからこの家から出て行けって。きょうだいは私のせいで恥ずかしくて学校にも行けないって騒ぐし、母は仕事も辞めて寝込んでしまいました。洪水があった後は母の内職だけで生活してきたのに、私の噂が広まってからは誰も家に来なくなったんです。母が言うには、せめて体を売って稼いだお金でも出して生活の足しにさせてくれって……、本当に体を売ったわけでもないのに、どうやってお金を出せるって言うの？　それでなくても洋装店をクビになってからは仕事も見つからなくて困ってるのに……、結局、お金を稼いでこないなら出て行けって言われました。もう何もかも嫌になったわ」

頭が混乱した。俺にも住んでいた部屋から一夜にして追い出された経験がある。考えてみればたった一年前のことだ。叔父の工場から追い出されたときの絶望感を思い出し、自然とキョンジャに同情心が生まれた。俺の心を読んだかのように、キョンジャは切実な目で俺を見上げた。彼女が何を言いたいのか俺は知っていた。薄情な家族を捨て、俺のところに来て新しい家庭を持ちたがっているのだ。

「ヒョンさん、私ね……」

俺は焦った。キョンジャが言い終える前に急いで背を向けた。俺の背後には、簞笥(たんす)代わりのスーツケースが一つ置かれていた。スーツケースはワイルドキャッツのギタリストとして初月給を貰った日に南大門（ナムデムン）のヤンキー市場で買ってきたもので、上に座ってもびくともしない丈夫な代物だった。俺は肌身離さず持っている鍵でスーツケースを開けた。スーツケースの中には黄順元（ファンスンウォン）の小説『カインの後裔（こうえい）』と、いつ読んだかも思い出せない日本の推理小説数冊が入っているだけだった。俺は一番下の本を取り出して広げた。本には茶封筒一枚が挟んであった。俺が封筒の中から紙幣を取り出すのを、キョンジャは息を殺してただ見守っていた。

　俺はカバンを閉じ、紙幣をキョンジャに差し出して言った。

「これで今すぐ部屋を探してくれ。新しい職場を見つけるまでの生活費にはなるだろう」

　彼女は手の切れそうな新札に描かれた南大門を見つめたまま黙っていた。俺は苛立ちながらキョンジャに促した。

「受け取れよ」

「どういうことですか？」

「感謝のしるしだよ。悪かったな。俺のせいで家を追い出されたようなところもあるし……」

　ドンと床を鳴らしてキョンジャが立ち上がった。裸電球を背にした彼女の顔には暗く影がかかり、表情がわからなかった。ただ、彼女の声は抑えきれない怒りに震えていた。

「誰がお金をくれなんて言った？」

　俺が答える前に、キョンジャは怒った牛のようにもう一度床を鳴らして大声をあげた。

「あんたまで私を売春婦扱いするの？」

俺はびっくりして反論した。

「何言ってるんだよ、そういうことじゃなくて俺は……」

「最低。あんたみたいな男なんてもういらない！」

夜十二時を知らせる通行禁止時間のサイレンとともに、キョンジャは扉を蹴って出て行った。俺は急いで後を追ったが、彼女は足に羽が生えたようにもう坂道の下まで走り去ってしまった。俺は呆然としながら遠くへ消えていくキョンジャを眺めた。取り締まりの巡査が吹く笛の音が、真夏の夜の蒸し暑い空気に鋭くこだました。俺は固く握っていた右手を広げ、汗でふやけた五百ウォンの新札を見下ろした。いつものように、一歩遅れて後悔が押し寄せた。


キョンジャとの短い縁にはそうして終止符が打たれた。先輩たちにそれとなくキョンジャとのことを話すと、自分から去って行ったのだからむしろよかったと何の慰めにもならない言葉をかけられた。それでも俺の心は休まらなかった。数日後、闇ショーを転々としていた俺たちのバンドは、ついに龍山（ヨンサン）基地のクラブ公演を勝ち取った。二か月ぶりの基地だった。俺は公演よりも久しぶりにジェリーに会えるという期待感に浮き立った。ところが、どうしたことかジェリーの姿が見えなかった。いつも俺たちのショーの最前列を死守していた奴だったのに。

公演を終えた後にもジェリーは俺を訪ねてこなかった。知り合ってから初めて、俺から先に彼を探すことになった。今日は公演を観に来ていないようだった。ショーに目のない奴がどうしたのだろうか。ギターを下げたままジェリーを探してきょろきょろしていると、先輩が俺を呼んだ。すぐに走って行くと、クラブの裏門の前で娼婦の一団が先輩たちを取り囲んでいた。

「今日の俺たちのショーが最高だったから、接待してくれるってさ」

ジュンチョルはうれしそうに笑った。先輩の知り合いの娼婦がみんなで遊ぼうと営業をかけたようだった。酒は厳禁のサービスクラブを除き、すべての米軍クラブでは娼婦たちが米兵に同伴してショーを観ながら酒と体を売るのが慣例で、クラブの社長の相当数が置屋の主人を兼ねていた。基地内のクラブに出入りする娼婦はその中でも選りすぐりの女たちだったから、拒む理由がなかった。

あっという間に俺たちは三角地（サムガクチ）の裏通りにある風俗街に連れて行かれた。狭い通りの両側に並ぶ売春宿の中でも、かなり大きな店に酒席が設けられた。酒盛りは朝方まで続いた。娼婦たちが英語混じりの猥談を繰り広げる間、ガンヨプはギターをつま弾き、ジュンチョルは大声で歌った。女に興味のないジュンソクも調子を合わせていた。遊び方を知らない俺は、横についた女が注いでくれるマッコリをすすっていた。

「この女！　逃げるつもりか？」

部屋の前にある階段の踊り場から木戸番の大声が聞こえた。そして若い女が泣き叫ぶ声がすると、揉み合う音が続いた。先輩たちは盃を放り投げて一斉に見物に向かった。俺は人が殴り合う姿をわざわざ見たくなかったので部屋に残っていたが、いきなりどこからか聞き覚えのある声がした。

「こんちくしょう！」

舌のもつれた発音は酔っ払いとも違い、どうやらヤンキーの声のようだった。なぜかその声は明らかに記憶の中にあった。俺は好奇心にかられて外に出てみた。扉から顔を出すのと同時に階段の上からバタンバタンと転がり落ちる音が聞こえると、裸にパンツ一枚の女が俺の足元にひっくり返った。したたかに殴られたのか髪は乱れ、口の周りは血まみれだった。木戸番はニヤニヤと笑いながら階段の上に立つ誰かをなだめた。するともう一度、あの妙に耳慣れた声が聞こえた。

「こんちくしょう！」

階段の上では、上半身裸のガリガリに痩せた米兵が拳を握りしめたまま怒りで息を荒らげていた。先輩たちは腹を抱えて笑ったが、俺は笑えなかった。その米兵はほかでもない、ジェリーだった。泥酔した彼が韓国語でこんちくしょう！　と叫ぶたびに、そばかすだらけの白い胸がひよこの胸のように力なく動いた。ジェリーは止める木戸番を押しのけて階段の下まで駆け降り、床に倒れた女の下腹を蹴りつけた。ぴくりとも動かずに蹴られるばかりだった女は、突然力が湧いたようにがばりと起き上がると、通りの向こう側に向かって走りだした。ジェリーは女を追いかけたが、酔っているせいで足がもつれて地面に倒れてしまった。見物に出てきたヤンキーや娼婦たちがけたたましい笑い声をあげた。

ジェリーはぬかるみにへたり込んだまま空中で腕を振りまわし、英語で悪態をついた。酔いが覚めないままの俺の耳に、悪態の内容が聞こえてきた。汚れた未開の小国とその国の女たちを呪う言葉が、彼の口から果てしなくあふれ出した。その瞬間、ジェリーと俺の目が合ったが、酔って正体不明になった彼は、俺が誰なのかも見分けがつかないようだった。

八月中旬、大韓民国第五代大統領選挙の日程が十月十五日と発表された。八月末には朴正熙（パクチョンヒ）大将がついに軍服を脱いだ。新聞が一面に大きく掲載した除隊式の写真の中で、彼は万感の思いがこもった表情で下を向いたまま涙を流していた。除隊式を終えた朴正熙はその足で民主共和党の党舎を訪れ、入党手続きを行った。その翌日、民間人となった朴正熙は民主共和党の総裁に就任すると同時に大統領候補の指名を受諾した。

世紀興行は新しい女性シンガーグループを結成した。キキを筆頭に、三人の女性が集まったグループの名前は《キムチシスターズ》だった。正式名称は《キキ&キムチシスターズ》だったが、略してキムチシスターズと呼ばれた。これはポップス界の流行を見越した動きだった。世界的なコンボバンドのブームとともに女性ボーカルグループのブームが起こっていた。これまでは男性の中に紅一点の女性シンガーがいる混声グループが主流だったとすれば、最近は《シュレルズ》や《パリス・シスターズ》など女性だけのグループがビルボードチャートの上位圏を占めていた。

韓国でも、終戦前に国民的ヒット曲の〈木浦（モッポ）の涙〉で名声を博した〝女王〟李蘭影（イナニョン）が自分の二人の娘と姪を集めて結成した女性ボーカルグループ《キム・シスターズ》がすでに数年前にアメリカに進出し、ラスベガスを席捲していた。女王らしい先見の明だった。チャン理事はキムチシスターズを第二のキム・シスターズに育てようと野心を抱いていた。もちろん、キキにはその野心を補って余りある才能があった。他の二人のメンバーもキキに負けず劣らずの美貌と才能を兼ね備えたベテランだったから、キムチシスターズはすぐに人気を集めた。

一九六三年の中秋節は、コレラの流行の真っただ中で迎えることになった。残暑とともに釜山に上陸したコレラ菌は、あっという間に首都圏を占拠した。政府は非常防疫態勢を宣布した。ソウル市は急ぎ大規模なコレラの予防接種を実施したが、注射薬の在庫はソウル市の人口の十分の一にも満たなかった。水を沸かして飲むことだけが市民ができる唯一の予防策だった。新聞には突然の悪寒（おかん）と下痢で通りに倒れた市民の写真が掲載された。新たなコレラ患者の発生が連日のように報じられた。

中秋節が過ぎ、全国のコレラ死亡患者数は八百人を超えた。天変地異だった。一日に約二十人が死亡する日もあった。隣の日本は韓国産豚肉の輸入を禁止し、韓国からの密航船の入域を徹底的に取り締まった。全国を揺るがした疫病の恐怖のなかでも、八軍芸能人たちは変わりなくショーを続けた。スリーセブンショーの団員の中にもコレラに感染して舞台に立てなくなる者が続出した。

そんななか、ガンヨプの母親もコレラにかかってしまった。長い未亡人生活で苦労した母親の体は伝染病の前に脆くも崩れ落ち、数日も経たずに息を引き取った。一人息子のたった一人の母だった。俺たちは、とるものもとりあえず漢江を越えて広州郡〔京畿道中部に位置し、現在は市〕にあるガンヨプの家にお悔やみに行った。ガンヨプの家は狭く、葬儀場はみすぼらしかった。喪主のガンヨプはすでに酒に酔って人事不省になり、弔問客にまともに挨拶もできなかった。酔っ払ってひっくり返ったガンヨプをジュンチョルが引きずって部屋に押し込み、ジュンソクと俺が喪主の代わりに弔問客を迎えた。何人にもならない弔問客のうち、ガンヨプの肉親は遠く大邱からやってきた叔母だけだった。父方の親戚は誰も来なかった。日が暮れると、俺たちはガンヨプの叔母が焼いてくれた白身魚のチヂミにマッコリを飲みながら、故人の代わりに彼女が話す身の上話を聞いた。長々と続く話の中で不倶戴天の敵として登場するガンヨプの父親と、彼の現在の境遇は一卵性双生児のようにそっくりだった。

母親の葬儀を終えると、ガンヨプはさらに加速度を増して壊れていった。練習はサボってもステージに穴をあけることはなかった彼が、舞台までドタキャンした。一時は女性ファンをときめかせたマーロン・ブランドそっくりの容貌も色あせてしまった。何日も風呂に入らず、たわしのようになった髪の毛に痩せて肌荒れした顔は、誰が見ても麻薬中毒の廃人だった。

「おい、それでもギタリストかよ！」

ついに客席から野次が飛ぶようになってしまった。忠武路の片隅のキャバレーでの闇ショーだった。退屈した観客は新しい遊びを始めた。最初に野次が飛ぶと、待っていたようにさまざまな悪口が放たれ、ついには舞台の上までタバコの吸い殻やちり紙が飛んできた。

「クスリ売りの乞食どもめ！」

「そんなギター捨てちまえ！」

不安定だったギターの音が途切れた。困惑した俺もピックを持つ手を止めた。ガンヨプは顔を伏せたままじっとしているだけだった。俺は急いでジュンチョルとジュンソクに目配せした。

「このまま舞台から下りますか？」

「そうだな、ひとまず下りよう」

ジュンチョルがうなずくのとほぼ同時にガンヨプがマイクをつかみ、しゃがれた声で叫んだ。

「この無礼者ども……、おまえらに音楽がわかるか！」

「何だと？」

ガンヨプは顔を上げると、マイクに向かって大声をあげた。

「この雑魚（ざこ）ども、おまえらに音楽の何がわかるんだって聞いてるんだよ、うん？」

悪口を浴びた観客たちは怒り狂った。あのタンタラを引きずり下ろせと誰かが叫び、酒に酔った観客たちは一斉に席を蹴って舞台に駆け上がった。ガンヨプはギターを放り投げると、マイクスタンドを次々に蹴り倒した。マイクが床に転がり、古いアンプから引き裂くような轟音が鳴ると、騒いでいた観客たちは耳を塞いだ。そのすきに彼は舞台の下に飛び降りた。最前列にぼんやりと立っていた男がガンヨプに押され、あっという声とともに倒れ込んだ。ガンヨプは男を組み敷いて力任せに殴りつけた。それもつかの間、ガンヨプはすぐにたくさんの観客たちに囲まれ、一方的にリンチを受ける状況になった。とんでもない騒ぎだった。俺たちもメンバーが殴られているのを見過ごすわけにはいかなかった。真っ先にジュンチョルが大声をあげながら舞台から飛び降り、ジュンソクと俺も後に従った。俺たちは四方から伸びる拳と足に襲われながらガンヨプを引きずり出し、店の外に走り出た。怒った観客たちから逃げるのに精いっぱいで、楽器もすべてキャバレーに置いたままだった。

俺たちは血まみれになったガンヨプをおぶってキャバレーの裏通りの奥に降ろした。俺の姿もガンヨプと似たようなものだった。一張羅の舞台衣装の袖は肩口までむしり取られ、打ちどころが悪かったのか息を吸い込むたびに脇腹が裂けるように痛んだ。それでも、袋叩きに遭ったガンヨプのことが先だった。ジュンソクが通りの外で冷たい飲み物を買ってきて、ガンヨプの顔に注いだ。水を浴びた犬のようにぶるぶると震え、目を開けた彼の胸ぐらをジュンチョルががばりとつかんだ。立ち上がらせようとしているのだと思って俺が手を差し伸べた瞬間、固く握られたジュンチョルの拳がガンヨプの鼻先を強打した。ガンヨプは開いた口から笛のような音を出すと、向かいの壁にぶつかって倒れた。ジュンチョルは狂牛のようにガンヨプに突進した。

「兄さん！」

ジュンソクがジュンチョルの脇に両腕を差し入れて止めたが、極度に憤怒したジュンチョルの耳には弟の声も届かなかった。彼は倒れたガンヨプを無理やり立たせると、よく響く声で怒号を浴びせた。

「おまえの願いどおりやめちまえよ、この野郎。みんなやめちまえ！」

「やめろ、兄さん！」

「先輩、もう十分です！」

俺も加勢してなんとかガンヨプからジュンチョルを引き離した。怒りか悲しみか、はたまたその両方か、人事不省に陥ったガンヨプを見下ろすジュンチョルの瞳に、言葉にできない感情が湧き上がった。しばらくして、彼はガンヨプと俺の間に痰を吐くと、通りの外に向かってよろよろと歩きだした。ジュンソクは急いで兄の後を追いかけて行った。一人残された俺は、折れた鼻から血を流して失神したガンヨプを見つめた。すべての責任を放棄して意識をなくしたガンヨプは、おかしなことにとても幸せそうだった。彼を見ていると、ふと抗（あらが）いがたい予感がした。もちろん、それは終幕の予感だった。


俺たちが忠武路のキャバレーで繰り広げた乱闘騒ぎは、翌日の新聞記事にまでなった。小さな三面記事だったが、問題はチャン理事がその新聞の愛読者だという事実だった。チャン理事は子分たちに命じて俺たちを袋叩きにする代わりに、減俸処分を下した。すでに半分に減らされ、手数料まで引かれていた月給がさらに減り、月給というより週給と呼ぶのがふさわしい、雀（すずめ）の涙ほどの金額になってしまった。その上、忠武路のキャバレーのマネージャーは、俺たちのせいで大きな損害を負ったと言ってギャラを一銭もくれなかった。騒ぎのなかで置いてきた楽器も返さないと言うのを、ジュンチョルが頼み込んでなんとか取り戻した。俺のギターはどさくさまぎれに誰かが持ち逃げしたのか消えてしまい、新しく買い直さなければならなかった。ガンヨプは殴られた後遺症で寝込んでしまい、会社にも出られなかった。遊んでいる余裕などなかった。やむをえず、ガンヨプ以外の三人で他のシンガーのバックバンドを請け負った。正直なところ、彼がいないと演奏するのはずっと楽だったが、毎日が薄氷を踏む思いだった。

キムチシスターズのバックバンドを務めた日だった。乙支路六街（ウルチロユッカ）にある下士官専用クラブの楽屋はとくに狭かった。男女が同じ部屋を使うので、片隅に風呂敷を吊して間仕切りの代わりにした。いきなり俺の横で風呂敷がたくし上げられると、白塗りした小さな顔がすっと飛び出した。キキだった。キキは驚いて凍りついた俺の耳元にささやいた。

「あいつ、まだ出てきてないでしょ？」

「あ、ええ、まだ……」

首を振って答えると、キキはふんと鼻息を吐いて独り言を言った。

「いいご身分だこと」

俺は勇気を振りしぼって聞いてみた。

「ガンヨプ、どうしてますか？」

「私が知ってるわけないじゃない」

キキの声の冷たさは尋常ではなかった。危うかった二人の関係についにひびが入ったのか。ガンヨプがあんなふうになっている間にキキはさらに出世していたから、無理もなかった。そう考える俺の心は、以前のように痛快さもときめきもつまらない嫉妬すらも感じず、ただ無感情だった。しばらくの間、仕事をして食っていくだけで精一杯で、キキのことを恋しがる暇もなかったのだ。

「少し付き合ってくださる?」

突然の提案だった。俺は言われるがままにキキの後についてクラブの裏門に出た。知らない間にガンヨプがまた事件を起こしたのかと戦々恐々としている俺に、キキが言った。

「私、もうすぐアメリカに行くの」

「え?」

聞き返す俺の表情は、この世で一番間抜けだっただろう。キキは冷静に話を続けた。

「キムチシスターズがついにラスベガスに行くんです。海外進出よ」

俺は呆然として答えた。

「そうなんですか……、おめでとう」

「アメリカに行ったら、もう韓国には戻らないつもりです」

「家族は?」

キキは愚問だとばかりに笑った。

「私が仕送りするお金さえあれば、みんな楽して暮らせるんだから心配いらないわ」

キキはどうして俺にそんな話をするのだろうか。ステージを控えた彼女は当然酒に酔ってもいないし、完全にしらふだった。濃い化粧と華やかなドレスに隠されたキキの本心など、まだ一年目の新米バンドマンの俺にはとうてい理解できなかった。

「ヒョンさんは本当に純粋な人だって思ったんです。失礼かもしれないけど、私より一つ上なのに弟みたいに見えたわ」

「……」

「だからなのか、お見苦しい姿をたくさん見せてしまいました」

キキはビロードの長手袋をはめた右手を俺に差し出してにっこりと笑った。生まれながらの芸能人、天性のタンタラ。才能の星の下に生まれ、数多くの舞台で鍛え上げられたベテランだけが浮かべることのできる、かぎりなく人工的で完璧な微笑だった。

しかし、どうしてキキは今になって俺の前でショーを繰り広げるのだろうか？　キキの笑みに魂を奪われていた俺は、自分という存在は彼女の人生にも恋愛にも少しも関与できず、どこまでいっても観客にすぎないということを悟った。「見苦しい姿を見せた」という謝罪の言葉に込められていた本心は、舞台裏の本当の姿はどうか忘れてほしいという芸能人としての願いだったのか。俺が彼女のためにできることがそれしかないなら、当然そうすべきだろう。

俺はそっと彼女の手を握った。子どものように小さなキキの手は、強い力で俺の手を握り返した。

「どうぞお元気で」

「ええ、キキもアメリカで頑張ってください」

何事もないかのように言う俺の手が震えていることに、キキは気づいただろうか？　握手を終えて背を向けるキキの後ろ姿は優雅だった。その日、キムチシスターズの舞台は大盛況だった。公演が終わり、米軍の司会者はあらかじめ準備しておいた大きなバラの花束をキキに渡した。キキと姉妹（シスターズ）はその場で花束をほどき、熱狂する観客にバラを一輪ずつ投げる粋な返礼を見せた。真っ赤なバラの雨が降るなかで、キキは幻想的なほど美しかった。

暑さが去って、全国を恐怖に陥れたコレラの流行も下火になった。十月には大統領選挙が行われた。民主共和党代表の朴正熙（パクチョンヒ）が民政党候補の尹潽善（ユンボソン）に辛勝し、第三共和国（軍事政権である国家再建最高会議が民政に復帰することにより成立した政体）の大統領に選出された。市民らはとくに感慨もなかった。軍事クーデター以降、二年間続いてきた軍政を名前と形を変えただけでそのまま続けるようなものだった。

大統領選の数日後、国際オリンピック委員会は来年の夏に東京で開かれるオリンピックに韓国と北朝鮮がそれぞれ出場することを最終決定した。これまで北朝鮮のオリンピック単独出場に強硬に反対してきた韓国は少なからず失望したが、「コリア」という名称を使用することで納得した。北朝鮮は「ノースコリア」に決まった。それから間もなく、韓国オリンピック委員会は大韓民国の東京五輪参加を公式に宣言した。

ソウル市はコレラの終息を宣言した。アイスクリームや刺身の販売禁止措置が解除された。都市と人々はふたたび前を向いて歩み始めた。


休日の夜だった。ジュンチョルとジュンソクが、俺を「牡丹」に呼び出した。悪い予感がした。急いで店に向かった俺に、ジュンソクが言った。

「これ以上ガンヨプとは一緒にやれない」

「どういうことですか?」

「ワイルドキャッツは解散するってことさ」

解散という二文字はあまりに耳慣れなかった。気が抜けた俺の前で、ジュンチョルが硬い表情で言った。

「他のギタリストを入れることも考えたけど、解散してもう一度再出発するのが道理だろう」

ジュンソクが言葉をつないだ。

「この前のキャバレー乱闘事件もあったし、今のワイルドキャッツの名前ではこれから得をすることはないだろうからな」

「じゃあ、俺たち改名するんですか?」

俺の質問に、ジュンソクは頭(かぶり)を振った。

「三人じゃバンドにならないから……、ひとまず解散して各自やりたいことをやって、余裕ができたらもう一度集まろう」

ガンヨプはこのことを知っているのだろうか。先輩たちの話を聞いて、真っ先にそのことを考えた。

「ガンヨプもここに来てたんですか？」

「ああ、おまえが来る直前に来てすぐ帰ったよ。すっきりしたって表情だったぜ。あの野郎め」

ジュンチョルは彼のことがずいぶん心残りなようだった。長い間、同じ釜の飯を食った仲間が悲惨にも転げ落ちていく姿を目の当たりにしながら背を向けるのだから、どれほど苦々しい思いだっただろうか。

「明日の公演を最後のショーにすることにしたよ。梨泰院(イテウォン)のUNクラブ公演だ」

「はい……」

「そんなに残念がることはないさ。この業界は狭いからいつでもまた会えるだろう」

ジュンチョルがそう慰めてくれた。俺は涙をこらえてうなずいた。

翌日の夜、俺たちは梨泰院のUNクラブでラストステージに立った。幸い、ガンヨプは泥酔したり麻薬で正気を失ったりはしなかったが、使いものにならなくなった声と遠くからでもわかるほど震える手でなんとか公演を終えた。揶揄混じりの口笛を聴きながら、俺たちは最後の舞台から下りた。誰も口を開かなかった。ねぎらいの賞賛も、惜しむ言葉もなかった。ガンヨプは阿片タバコをくわえてクラブを出た。俺は急いでギターを下ろし、彼の後を追いかけた。誰が背中を押したわけでもなかったが、いまこの瞬間でなければ、彼とふたたび会えないかもしれないという予感がした。

俺は裏口の壁にもたれてタバコを吸っている彼に尋ねた。

「先輩、ギター続けますよね?」

「何だって?」

「これからもギター続けますよね?」

「俺に聞いてるのか?」

焦点の合わない濁った瞳が、俺をぼんやりと見上げた。俺はうなずいた。ガンヨプは空咳をしながら煙を吐き出してつぶやいた。

「俺にもわからないよ。ここにいると目の前がやたらと霞むんだ」

ここはどこのことだろうか。米八軍基地か、ソウルか。それとも韓国だろうか。骨の髄まで麻薬中毒者になってしまったガンヨプの曇った瞳に、いま何が映っているのだろうか。俺には想像もできなかった。もうガンヨプと同じ世界を見ることはできなかった。

俺は最後に尋ねた。

「キキは来週アメリカに行くそうです。知ってますか?」

「そうか」

「キキのことも忘れてしまったんですか？　先輩にとってキキは何だったんですか？」
「キキ？　音楽と一緒さ。すべてであり、何でもないもの」
そう答えながら、ガンヨプは目を閉じて壁にもたれたままゆっくりと横に傾いていった。

キキと《キムチシスターズ》のアメリカ行きは一気に進んだ。米軍の定例オーディションに審査委員として派遣されていた米芸能プロダクションの社員が早くからキキに目をつけ、彼から報告を受けた社長がキキを直接スカウトして、キムチシスターズを丸ごと連れて行くことに決めたのだった。社長はラスベガスやニューヨークのブロードウェイを拠点に、シカゴ、マイアミ、ハワイ、ロンドン、パリでも公演を行っている米芸能界のドンだった。彼は自らソウルを訪れてキムチシスターズと六か月間の専属契約を結んだ。初舞台はラスベガスのサンズホテルに決まった。サンズホテルは、一九五〇年代初めにフランク・シナトラが数年間のスランプから脱出してカムバックショーを開催した伝説のホテルだった。サンズホテルでのショーを機にシナトラは華麗な復活を遂げ、第二の全盛期を迎えた。

キキがアメリカに発つ日はお祭り騒ぎだった。キムチシスターズのメンバーの家族やプロダクションの社員、芸能人仲間まで数十人が金浦（キンポ）空港に見送りに駆けつけることになった。希望者が殺到すると、チャン理事は貸し切りバスを仕立てて全員を金浦に運んだ。しかし、俺はバスに乗れなかった。恥ずかしかったからだ。ガンヨプはもちろんのこと、ジュンチョル、ジュンソクもキキを見送りに行かなかった。

　増築工事を終えたばかりの金浦空港の建物は巨大だった。裕福そうな身なりの海外旅行者や見送り客の間で、古びた一張羅の背広を羽織った俺の姿はぎこちなく貼り付けた絵のようだった。万里洞（マルリドン）から金浦まで一人で行くのは遠く、険しい道のりだった。結局ここまで来るのなら、貸し切りバスに乗ればよかった。俺は最後まで間抜けな青二才だった。

　俺は空港の出入口がよく見える椅子に座り、キキを見送る一群が現れるのを今か今かと待ちわびた。しばらくするとバスが到着し、大人数が騒がしく空港の建物に入ってきた。新聞社から取材に来た記者も一緒だった。俺はそっと見送りの列の最後にもぐり込んだ。キムチシスターズのメンバーは家族らに囲まれ、高く結い上げた頭の先だけがようやく見えた。

　出国手続きを終えた彼女たちは駐機場に向かった。飛行機を背景に記念写真を撮るのが見送りのハイライトだった。キキはオードリー・ヘップバーンのようにすらりと着こなしたトレンチコートにマフラーとブーツでめかし込み、トレードマークの黒いサングラスをかけていた。カメラマンの要求に合わせ、キキはスムーズにポーズを取った。最後に見送り客と一緒に集合写真を撮ることになった。一人離れて立っている俺にカメラマンが声をかけた。

「一緒に入らないんですか？」

　俺は首を振って遠慮した。自分の体ほどもある花束を抱き、家族に囲まれて笑っているキキは、俺のことを最後まで見なかった。気づいていながら見ないふりをしたのかもしれない。俺に声をかける理由があるはずもない。長く退屈な別れの儀式を終えたキキは、飛行機のタラップの上に立って人々に手を振った。

「みなさん、グッバイ！」

チマチョゴリに上着を着たキキの母親は、握りしめていたハンカチに顔をうずめて号泣した。俺は思わずキキに向かって手を振ったが、すぐに下ろしてしまった。正午の日差しが、キキたちを乗せて太平洋を渡るノースウエスト航空のジェット機をまぶしい黄金色に染めた。旅客機のドアが閉められるまで人々は手を振り続けた。キキを乗せた飛行機は、滑走路に向かってゆっくりと動き始めた。雲一つない澄んだ秋空はキキが渡る太平洋のようにも見え、彼女の前に開けた洋々とした未来のようにも見えた。

飛行機は爆音とともに離陸した。青い空に点になって消えていくキキを見上げながら、俺はこらえにこらえた、勇気さえあればキキの顔を見て言いたかった、けれども結局最後まで言えなかった別れの挨拶をした。

元気でな、俺の女神、俺の歌姫（ディーバ）。

金浦からソウルまでは、四の五の言わずに貸し切りバスに乗って帰った。

その日の夜、俺はスーツケースを整理しながら、ふと『カインの後裔』を開いてみた。今年の初めにキキが手配してくれたナット・キング・コールの来韓公演のチケットがしおり代わりに挟まっていた。使えなかったチケットは、銀行から引き出したばかりの新札のように光っていた。俺はチケットを鼻先に当てて息を吸い込んだ。チケットからはかすかなインクのにおいがするだけだったが、俺はそれがキキの愛用していた香水の香りでもあるかのように何度も吸い込んだ。機上の人となったキキはもう忘れているだろうが、この小さな紙きれは俺とキキの間に残された唯一の記念品だ。ナット・キング・コールの歌詞のように、年月が経っても忘れられない思い出、忘れられない人。

すべてであり、何でもないものとは、そんなものかもしれない。憧れ、愛したがついに手に入れられなかったもの、それゆえに永遠に忘れられないもの。

十一月末、ケネディ米大統領がパレードの車上でリー・ハーヴェイ・オズワルドが撃った銃弾を受けてこの世を去った。十二月には金鍾泌（キムジョンピル）が共和党議長に指名された。在日コリアンのプロレスラー、力道山が東京赤坂のナイトクラブで暴力団員の振るった登山ナイフで刺されて帰らぬ人になった。軍事政権の国家再建最高会議が解体された翌日、朴正煕大統領の就任式が執り行われた。クリスマスを前に、政府は西独に約二百人の炭鉱労働者を派遣した。

クリスマスの翌日には、ビートルズという名のイギリス出身のバンドが、キャピトル・レコードから全米デビューシングル〈抱きしめたい〉をリリースした。このレコードは発売から三日で北米全土で二十五万枚を売り上げた。

8. 忘れないわ、永遠に

翌春、ジュンチョルとジュンソクは世紀興行を辞めた。少し後に俺も世紀興行を出て、しばらくは一般クラブのショーを回った。その後、ジュンチョルが紹介してくれた音楽学院でギター講師の仕事を始めた。先生としての生活はそれほど悪くなかった。

講師として働いて二年が過ぎた頃、北の出身の学院長が俺を見込んで結婚相手を紹介してくれた。俺の初めての見合い相手は学院長の中学の同窓生の娘で、裕福な家の四人姉妹の次女だった。初対面の席で彼女は、ビートルズが好きだと、とてつもない秘密を打ち明けるかのように言った。しばらくして俺たちは結婚式を挙げた。妻の実家は阿峴洞（アヒョンドン）で大きな米穀店を営んでおり、暮らし向きには余裕があった。

結婚した年に長男が生まれた。俺はギター講師を辞めて義父が経営する米穀店で働いた。ベトナム戦争を機に、米八軍芸能界は急速に没落した。休戦以降、縮小を続けた在韓米軍の規模は六〇年代初めのおよそ六万人から七〇年代には四万人にまで減少した。観客が減ったことで、クラブも店を閉めた。八軍芸能人はあっという間に居場所を失った。それでもバンドマスターはテレビ局の専属楽団長としてスカウトされ、人気歌手たちは有名作曲家とともにヒット曲を生んでテレビ時代に適応していった。それもごく少数のエリートだけの話だった。

一人目が生まれた翌年に次男が誕生した。義父は米穀店を畳んで永登浦（ヨンドゥンポ）に醤油工場を開いた。俺も工場で働きながら醸造技術を習得した。若い頃に叔父の工場で働いた経験が、ここにきて役立った。結婚したときにギターは持ってきたが、生活に追われるなかで手に取る時間も余裕もなかった。国民所得が急増し、醤油の需要も伸びて工場は繁盛を続けた。そうして二十代があっという間に過ぎた。息子たちとは年の離れた末娘が生まれた。

友達のウギは引き続き米軍基地の近くで働いていた。ＰＸの密売で稼いだ大金で、ウギは市内に飲み屋を開いた。若い頃から部隊に出入りしていたウギの客は、ほとんどが軍人だった。軍事政権の二十年の間に、ウギの飲み屋は大きな料亭に成長した。全斗煥（チョンドゥファン）〔軍人出身で一九七九年の朴正熙大統領暗殺事件後に実権を掌握した。一九八〇年五月に非常戒厳令を敷き、野党指導者を逮捕し光州蜂起を弾圧。同年九月より一九八八年まで大統領を務めた〕政権でも、ウギの料亭は将校の間で変わらず人気を博した。ある日ウギは俺を呼び、過去にＰＸの闇市場として悪名高かった坡州（パジュ）に近い空き地を買っておけば、後々大きな利益が得られると耳打ちした。ちょうど手元にあったカネで土地を少し買った。数年後、そこは大規模な新都市として開発された。ウギのおかげで儲かったカネを、俺はそのまま妻に渡した。妻はそのカネで、手頃な価格で売り出された江南（カンナム）の商業ビルを一棟購入した。

子どもたちは俺よりも母親似で、タンタラ気質はまったく受け継がなかった。長男は国立大の医学部に入り、大学病院の外科医になって同業の医師と結婚した。工学部を卒業した次男は米国留学の後、大企業傘下の研究所に入り、末娘は薬剤師になった。三人きょうだいを独立させた俺と妻は、ソウルの麻浦（マポ）にあるマンションに住んで二十年になる。築三十年を超えるマンションがみすぼらしく見えるのか、子どもたちはともすれば「ビルオーナーのくせに」どうしてこんな古い家に住んでいるのかと気を揉むが、この年齢になって引っ越す気にもなれず、俺も妻もここを動かずにいる。

ワイルドキャッツのドラマー、ジュンチョルは六〇年代末にテレビ局の専属楽団に移籍した。テレビ局でもジュンチョルのドラムの実力とステージマナーは評判を呼んだ。稼いだそばから使ってしまう浪費癖は相変わらずだった。弟と同じような抜け目ない性格の妻と結婚し、四人の子どもの父親になった。

ベーシストのジュンソクは楽器を下ろしてベトナム派兵に志願した。ベトナムに行っている間、母親は信用していた友人に騙されて大きな借金を背負い、喫茶店を閉じることになった。武功勲章をつけて帰国したジュンソクは、ベトナムで貯めたカネをはたいてクッパ屋を開いた。もともと商売の手腕があったから、店はすぐに繁盛した。朴正熙（パクチョンヒ）が維新憲法を発布した一九七二年、ジュンソクはうまくいっていたクッパ屋を処分してロサンゼルスに移住した。ジュンチョルと家族も一緒にアメリカに渡った。九〇年代初め、ジュンソクと連絡が取れ、旅行を兼ねて兄弟に会いにロサンゼルスを訪れたことがあった。ジュンソクは独身のままで、コリアンタウンで三本の指に入るというコリアン・バーベキュー・レストラン、つまり韓国式のプルコギ屋を経営していた。店は大変な繁盛ぶりだった。

ジュンチョルはコリアンタウンで大きなクリーニング店を経営していた。移住してものんきな性格はそのままで、ジュンソクがオープンさせてくれた店だと弟自慢を惜しまなかった。すでに店の経営は長男夫婦に任せている。韓国教会の名物司祭として、讃美歌を演奏するバンドの若者たちとも分け隔てなく付き合い、変わらぬドラムの実力を誇っている。

俺の初恋のキキ・キムはアメリカで大成功した。全米ツアーに続いてフィリピンと香港、マカオまで征服した彼女は、その昔に乙支路（ウルチロ）の下士官クラブで俺に豪語したとおり、韓国には戻らなかった。ラスベガスで単独ショーを開き、とてつもない額のギャランティを受け取ったキキは、自身の大ファンだというユダヤ系アメリカ人の大富豪と結婚して五人の子どもに恵まれ、幸せな結婚生活を送った。マイアミの海辺に建てた大邸宅で暮らす彼女の華やかな生活が、ときどき韓国のマスコミを賑わせもした。九〇年代初めには、病気の母を見舞うために一時帰国した。変わらず小粋で優雅な姿の彼女は、ウォーカーヒルホテルでディナーショーを行った。

北斗興行ショー団長のミスター・ホンは、結核にかかって四十にもならずに世を去った。彼の妻は、後にマンションの転売で不動産業界の大物になり、一人息子はクラシックピアノを専攻して音大の教授になった。

世紀興行ショー団長のチャン理事は芸能界で大活躍した。ベトナム戦争の終戦後、八軍のプロダクションがばたばたと潰れた時期に、彼は市内の有名劇場を買収して映画制作会社を興し、成功した。最初に作った映画の興行成績は上々だったが、七〇年代に入って検閲が厳しくなると失敗作が続いた。映画事業から手を引いたチャン理事は飲食業に手を出したが、それもうまくいかなかった。八〇年代初めに酒に酔って忠武路（チュンムロ）の真ん中で通行人に因縁をつけ、三清（サムチョン）教育隊〔全斗煥政権下で社会浄化を名分に市民らに組織的暴力をふるった矯正部隊〕に連れて行かれた。特有の与太者ぶりを発揮して三清教育隊での生活をしぶとく耐え抜いたチャン理事だったが、教官から釘を打った角材で殴られた場所が炎症を起こし、退所から一か月で亡くなった。

音楽鑑賞室「ラ・スカラ」で俺をヤンキータンタラ扱いした、いとこのジョンスは大学を卒業後、大企業に就職した。彼の末娘は音楽学科を出てミュージカル女優になった。インターネットで検索すると、華やかな舞台衣装に身を包んだ娘の横で笑顔を見せるジョンスの写真が出てくる。

ギターの天才キッド・チェは、伝説的ギタリストから伝説的プロデューサーへと転身した。彼が育てた歌手は時代を先取りした音楽とスタイルで、空前のヒットを記録した。

阿片中毒者になったガンヨプは結局、薬物施設に収容された。施設でクスリを抜いて出てきた彼は、ふたたびギターを手にした。議政府（ウィジョンブ）の米軍基地のクラブで有名作曲家と意気投合し、ソロアルバムを吹き込んだりもしたが、再起は簡単ではなかった。貧しい生活のなかで、ガンヨプは阿片の代わりに大麻に依存した。七〇年代半ばに大麻の一斉取り締まりで摘発され、警察でひどい拷問を受けた。拷問の後遺症で指が曲がってしまい、ギターを弾けなくなった彼は、麻薬の代わりに酒に頼った。解放村（ヘバンチョン）〔梨泰院や龍山基地の近隣地区〕の裏通りで行き倒れになった彼を見たという噂が流れたのを最後に、今もガンヨプの消息は不明だ。

一時、俺のことを好きだったキョンジャは、茶房のレジ係として働いていたときに厨房でコーヒーを淹れていた男と結婚した。キョンジャ夫婦は後に自分たちが働いていた茶房を買い取り、明洞（ミョンドン）で指折りの大きなカフェに成長させた。

米軍兵士のジェリーは何事もなく龍山（ヨンサン）で服務し、六〇年代末に除隊した。故郷のテキサスで結婚した彼は、経営していた小さなバーを畳んで中古車販売業を始め、大成功して地元の名士になった。除隊後しばらくは俺に葉書を送ってきたが、生活に追われて一度も返事を出せなかった。

ウギは、ソウルオリンピックが開かれる一年前に突如、日本に移り住んだ。十年が過ぎて大阪のコリアンタウンで再会したウギは、韓国で幅をきかせていた頃とは一変し、シングルファーザーとして小さな焼き肉屋を営みながらなんとか暮らしていた。ウギの没落はある将軍との関わりから始まった。全斗煥政権時代に軍高官だったその将軍は、ウギが経営していた料亭の常連で、俺が土地を買った新都市の開発情報を流した張本人だったが、ウギはある事件で一夜にして厄介者扱いされるようになったという。それからしばらくして地下経済に対する大がかりな税務調査が行われ、ウギの料亭は脱税容疑で摘発された。PXと基地で貯め込んだ財産のほとんどを失ったが、財産は二の次でまずは命の確保が先だった。妻は子どもたちを連れて実家に身を潜め、ウギは裏庭に埋めてあったおまるからへそくりを取り出し、釜山から日本への密航船に乗った。

いったいその将軍にどんな罪を犯したのかと俺が聞くと、彼は苦笑いしながら答えた。

「そいつが好きな洋楽にくだらない冗談を言ったんだ。俺の冗談が面白くなかったんだろう。それだけだよ」

ウギはそれ以上多くを語ろうとしなかったし、俺も無理に聞かなかった。ただ、俺がウギに対して恩返しする番だと思った。だが、彼は俺が差し出した封筒を最後まで受け取らなかった。

俺は恵まれた人間だと、妻に口癖のように言う。孤児が嫁に恵まれ、妻の実家のおかげもあるかもしれないが、俺は本当に人に恵まれていた。両親とは死に別れたが、叔父は幼い俺を長い間養ってくれたし、ウギは一夜にして部屋から追い出されて行くあてのない俺を八軍に連れて行き、自立のきっかけを作ってくれたのだから、感謝してもしきれない。ワイルドキャッツの先輩たちは、ヘルパーにすぎなかった俺を芸能界の一員として育ててくれた。キキ・キムとキッド・チェは、かぎりない才能とそれによって広がる大きな世界を見せてくれた。

一九六二年の晩夏から翌年の晩秋まで、数えで二十歳の若造が二十一歳になるまでの短い間、俺は龍山と議政府と東豆川(トンドゥチョン)と烏山(オサン)と倭館(ウェグァン)と春川(チュンチョン)で信じられない経験をした。その経験は俺の人生を音楽の道に導いてはくれなかったが、それもまた俺の運命だ。大したことのない才能でカネも稼ぎ、錚々(そうそう)たる人々の横にいることができ、今は子どもたちを無事に育て上げたのだから、孤児としてこれ以上の幸せは望めない。見返りなしに俺を助けてくれた人々には感謝するばかりだ。

今年美大に入学した長孫は、アコースティックギターを買い、毎日練習をするのだと騒がしい。美術をやるんじゃなかったのか？　正月にも一日中ギターの練習に没頭している孫に、そう尋ねてみた。

「ストリートライブをやろうと思ってるだけだよ」

「ストレートライフって何だ？」

俺の言葉がそんなに面白かったのか、孫はテーブルを叩きながら大笑いした。

「ストリートライブ。最近は路上で歌うことをそう言うんだよ」

孫はテーブルの上に置かれたスマートフォンを見ながら、思いどおりに動かない手を広げようと悪戦苦闘していた。その姿は二十歳の頃の俺とそっくりだった。俺は意味もなく孫の周りをうろつきながら、スマートフォンの画面を覗いた。画面には実際のギターのネックとフレットがそのまま表示されていて、弦の上で丸い表示が点滅しながら指で押さえる場所を教えてくれた。インターネットであらゆる音楽のコード譜が手に入るということに感嘆したのがつい昨日のことのようなのに、もう楽譜もいらない時代になったようだ。

俺はしばらくためらった後、孫に言った。

「そのギター、ちょっと貸してみろ」

孫は耳を疑うように目をぱちぱちさせて聞き返した。

「借りてどうするの?」

孫は、この爺さんにギターを弾ける可能性があるということ自体、想像できなかった。俺はソファに座り、孫が渡してくれたギターを膝の上にゆっくりと乗せた。数十年ぶりに握るネックと固い鋼鉄の弦の感触は、昔のままだった。

俺はゆっくりと指を滑らせて〈ギター・ブギー・シャッフル〉のコードを押さえた。孫の前で昔話をするよりも、この方がずっと様(さま)になると思いながら。

参考文献

趙英男『그녀、패티김〔彼女、パティ・キム〕』돌베개〔トルベゲ〕、二〇一二年
朴婉緒『그 산이 정말 거기 있었을까』웅진〔ウンジン〕、一九九五年
〔邦訳『あの山は、本当にそこにあったのだろうか』橋本智保訳、かんよう出版、二〇一七年〕
尹福姫『나 있는 그대로〔あるがままに〕』문예당〔ムンイェダン〕、一九九七年
尹福姫『저예요、주님〔主よ、私です〕』두란노〔ドゥランノ〕、二〇一二年
申重鉉『내 기타는 잠들지 않는다〔俺のギターは眠らない〕』해토〔ヘト〕、二〇〇六年
サイモン・レイノルズ『레트로마니아：과거에 중독된 대중문화〔レトロマニア――過去中毒の大衆文化〕』チェ・ソンミン訳、워크룸 프레스〔ワークルームプレス〕、二〇一四年
（Simon Reynolds, *Retromania: Pop Culture's Addiction to Its Own Past*, 2011）
申鉉準『록 음악의 아홉 가지 갈래들〔ロック・ミュージックの九つの分かれ道〕』문학과지성사〔文学と知性社〕、一九九七年
申鉉準他『한국 팝의 고고학 1960』한길아트〔ハンギルアート〕、二〇〇五年
〔邦訳『韓国ポップのアルケオロジー　一九六〇―七〇年代』平田由紀江訳、月曜社、二〇一六年〕

金源一（キムウォニル）『마당깊은 집』문학과지성사〔文学と知性社〕、一九九一年
〔邦訳『深い中庭のある家』吉川凪訳、クオン、二〇二一年予定〕
孫禎睦（ソンジョンモク）『서울 도시 계획 이야기〔ソウル都市計画物語〕』한울〔ハンウル〕、二〇〇三年
孫禎睦『한국 도시 60년의 이야기〔韓国都市六十年の物語〕』한울〔ハンウル〕、二〇〇五年
ソ・ジュンソク他『전장과 사람들〔戦場と人々〕』선인〔ソンイン〕、二〇一〇年
鄭晋錫（チョンジンソク）『전쟁기의 언론과 문학〔戦争期の言論と文学〕』소명출판〔ソミョン出版〕、二〇一一年
クォン・ボドゥレ、チョン・ジョンファン『1960년을 묻다〔一九六〇年を問う〕』천년의상상〔千年の想像〕、二〇一二年
コ・ナム他『휴먼 스케일〔ヒューマンスケール〕』일민미술관〔一民美術館〕、二〇一四年
アン・ミニョン「미8군 무대를 통한 한국 재즈 형성에 관한 연구〔米八軍舞台を通じた韓国ジャズ形成に関する研究〕」西江大学校言論大学院修士論文、二〇一三年
チョン・ヨンジュ「1950년대 미8군 클럽 음악과 우리 대중가요의 서구화：문화적 혼종성의 이해를 바탕으로〔一九五〇年代米八軍クラブ音楽と韓国大衆歌謡の西欧化——文化的混種性の理解を基盤に〕」高麗大学校言論大学院修士論文、二〇一二年
イ・ヨンウ「베테랑 훵키맨：이철호와의 인터뷰〔ベテラン・ファンキーマン——イ・チョルホとのインタビュー〕」ウェブマガジン『Weiv』vol. 5, no. 8, 二〇〇三年
クァク・チュング「동북 방언〔東北方言〕」『새국어생활〔新国語生活〕』第八巻第四号、国立国語研究院、一九九八年

ソウル特別市史編纂委員会『서울 사람이 겪은 해방과 전쟁〔ソウル市民が経験した解放と戦争〕』二〇一一年
ソウル特別市文化芸術課『서울 視 공간의 탄생〔ソウル視空間の誕生〕』二〇一四年
ソウル特別市史編纂委員会『서울六百年史 - 年表〔ソウル六百年史・年表〕』一九八七年

「가요생활〔歌謡生活〕」가요생활사〔歌謡生活社〕、一九六六年六―一一月号
「명랑〔明朗〕」신태양사〔新太陽社〕、一九六五年一―八月号、一〇月号
「경향신문〔京郷新聞〕」一九五五―一九六三年
「동아일보〔東亜日報〕」一九五五―一九六三年

「한국민족문화대백과사전〔韓国民族文化大百科事典〕」[http://encykorea.aks.ac.kr]
Bill smothers, "1959–1966 Korea, Yongsan Garrison" [https://www.flickr.com/photos/smothers/sets/72157594519083525/]
Jack Tobin, "The Too Far East Club, Seoul, Korea 1956" [https://www.flickr.com/photos/58451159@N00/sets/72157654313711692/with/18474931739/]
U.S. Naval Forces Korea Public Affairs, "Historic Seoul Navy Club Closes Doors after Four Decades of Service Commander" [https://www.navy.mil/submit/display.asp?story_id=86972]
"Wikipedia" [https://en.wikipedia.org]

作家のことば

私が住む時空間は、いつも居心地が悪かった。本や言葉、メディアで学んだ世界と私の目に映る世界は、いびつに削った歯車のようにうまくかみ合わず、食い違っていた。ときどき、自分が遠い未来からやってきた人間のように感じられ、反対に過去から来たミイラのように感じられもした。そもそも人間でない存在のようにも感じられた。自分に与えられた時空間に疑問を抱くということ、社会不適合者だということはあまりに孤独なことだった。

はじまりは父の古い本棚だった。寂しいときにはいつもそうしてきたように、本を読んだ。図書館や古書店を歩きまわり、数十年や百年余り前に刊行された本を探し始めた。いちばん新しく、進んでいると習い、そう信じていた思想や物事が、数十年、数百年前の過去にすでに存在していた。概念としての存在を超え、もはや明確な姿かたちをしていた。初めて本の中の世界と自分の知る世界がしっかりとかみ合った。いつも他人事のように馴染めなかった時空間が、ようやく自分の中に根を下ろした。

過去から現在を発見し、現在から過去を観察する。未来に進む力は脈絡のない空虚からは生まれないことを、おぼろげながら人生経験を通じて会得しているところだ。私が生きたことのない過去、実際には決して自分のものにできない時空間を文学という形に再構成するのは、恐ろしい冒険でもあり、尽きない楽しみが沸き上がる刺激的な経験でもあった。

この小説によって一歩前に進めることになり、この上なく感激している。拙作に可能性を見いだしてくださった秀林(スリム)文学賞の審査委員の先生方に感謝申し上げる。過去と現在をつなぐ不遜な作業に確信とインスピレーションを与えてくれた父、そして小説の最初から最後まで一緒にいてくれた人生のパートナー、チョン・ジェインにも感謝を伝えたい。

二〇一七年十月
イ・ジン

訳者あとがき

本書『ギター・ブギー・シャッフル（기타 부기 셔플）』は韓国の作家、イ・ジン（李眞）の長編小説である。本作は二〇一七年に第五回秀林（スリム）文学賞を受賞し、同年十一月に同賞を共催する聯合ニュースの出版部門である光化門（クァンファムン）クルバン（광화문글방）から単行本が刊行された。

韓国にロックとジャズが根づき始めた一九六〇年代前半のソウルを舞台に、在韓米軍（第八軍）基地内のクラブステージ「米八軍舞台」で活躍する若きミュージシャンたちの姿を描いたこの小説は、当時の音楽シーンの混沌と熱気を生々しく描ききり、審査委員から高い評価を受けて受賞作に選ばれた。

朝鮮戦争の傷跡がまだ癒えない六〇年代という時代設定と主要な登場人物の多くを男性が占めること、主人公のリアルな心理描写から、中高年の男性による作品と思われた読者もいるかもしれないが、著者のイ・ジンは一九八二年生まれの女性作家だ。ソウルに生まれ、大学ではデザインと映像理論を専攻した。ゲーム会社でシナリオライターとして勤務し、二〇一二年に長編小説『ワンダーランド大冒険』が第六回飛龍沼（ビリョンソ）ブルーフィクション賞を受賞して作家デビュー。二〇一四年には二作目の長編小説『アルジュマンド・ビューティーサロン』を発表し、初邦訳となる本書は三作目の作品だ。

秀林文学賞の審査委員を務めた作家のチャン・ガンミョンは作品を読んで、六〇年代以降に実際に米第八軍基地で芸能人として生活した六十〜七十代の人物が自身の経験談を書いたか、その子どもや孫が父や祖父の話を詳しく聞いて書いたと推測していたという。ところが、受賞作に決まった後に三十代の女性が資料調査だけをもとにこの作品を書いたと知り、とても驚いたと振り返っている。

本邦訳書には、著者の申し出により原書にはない参考文献リストが収録されている。どのような資料から作品が生まれたのか、ぜひご確認いただきたい。

*

『ギター・ブギー・シャッフル』は、裕福な実業家の一人息子として生まれ、朝鮮戦争の混乱の中で孤児となった主人公のヒョンが、軍事政権下のソウルで芸能界という特殊な世界に飛び込み、時代の抑圧に抗（あらが）いながらもさまざまな経験を通して自立していく姿を描く成長小説の形式をとっている。一方で、米兵たちを相手にショーを繰り広げる芸能人たちの生態や、米軍基地内のクラブで演奏するためのオーディションシステム、よりステータスの高いステージに立つためのランキングをめぐってミュージシャンらが繰り広げる熾烈な競争、芸能界に蔓延していた麻薬と暴力をめぐる描写は興味深く、当時の風俗を伝える貴重な資料としても読み解くことができる。

また、作品に登場する歌手やミュージシャンは、六〇〜七〇年代に一世を風靡した人気芸能人をモデルにしている。主人公の初恋の相手でもある「韓国のパティ・ペイジ」ことキキ・キムのキャラクターは、幼少時から米第八軍の舞台に立ち、韓国を代表するベテラン歌手として君臨する尹福姫（ユンボッキ）と、日本でもヒットした曲〈離別（イビョル）〉で紅白歌合戦への出場経験もあるパティ・キムのキャリアを下敷きにしたものだ。そして、天才ギタリスト「ビッグ・チェ」ことチェ・ジンは、韓国ロックの父と呼ばれる申重鉉（シンジュンヒョン）がモデル。八十歳を超えてなお現役で活躍する彼の代表曲〈美人〉や〈美しい山河〉は多くのミュージシャンに愛され、歌い継がれている。

第二次世界大戦後の日本で、ＧＨＱの占領政策により各地に進駐した米軍キャンプ内のクラブで演奏されていたジャズやロック、ポップスが広く市民権を得たのと同様に、韓国でも朝鮮戦争を経てソウルの龍山（ヨンサン）をはじめとする米第八軍基地やその周辺のクラブを中心に「ヤンキー」文化が開花することになった。今や世界的ムーブメントとなったＫ－ＰＯＰの原点という意味でも見逃せないが、この作品を通して覗く当時の芸能界は約六十年前とは思えないほど既視感を覚える点が多いことに驚かされる。日本でも芸能人の「闇営業」問題がメディアを騒がせたことは記憶に新しいし、米軍の厳しいオーディション制度は韓国でアイドルの登竜門の一つとして人気を集めるサバイバルオーディション番組を彷彿とさせる。麻薬などの薬物乱用は、日韓を問わず芸能界の宿痾の一つといえるだろう。

そして本書を語る上で欠かせない要素として、芸能人を蔑むニュアンスで使われ、作中で登場人物が自嘲的に語りもする「タンタラ」という言葉がある。朝鮮王朝時代に宴席などで歌舞を披露した人々が最下層の身分とされていたことから、近代以降に旅芸人などの蔑称としてタンタラと呼ばれるようになったといわれている。作中で語られる「一般大衆は芸能人を別世界の人間を見るように神聖視したり、蔑視したりする」風潮はいまも大きく変わっていないが、本作を読めば、かぎりない才能を持つタンタラたちの魅力に引き寄せられる主人公に共感せざるをえないだろう。

著者はこの小説について、時代や場所を超えて楽しむことができる普遍的な作品として描こうとしたと語っている。「作家のことば」でも「過去から現在を発見」すると触れているように、軍事政権下という重苦しい時代のなかでもいきいきとした人間の営みを描き、エンターテインメント性の高い作品に昇華させた点が本書の最大の魅力ではないだろうか。

なお、訳出にあたり、明らかな事実関係の誤りや日本の読者には伝わりにくいと思われる表現については、著者と相談の上で一部変更させていただいたことをお断わりしておく。

*

最後に、翻訳・出版を支援してくださった韓国文学翻訳院の李善行（イソネン）さんと、韓国文学ブームといわれるなかでも多少毛色の異なる本書に目を留め、情熱を持って出版を進めてくださった新泉社の安喜健人さんに心から感謝申し上げます。なによりも著者のイ・ジンさんには何度もお会いして質問する機会をいただけたおかげで、より作品に入り込んで楽しみながら翻訳を進めることができました。深く御礼申し上げます。

二〇二〇年一月

岡 裕美

〔著者〕
イ・ジン（李眞／이진／LEE Jinn）
一九八二年、ソウル生まれ。大学ではデザインと映像理論を専攻。
二〇一二年、長編小説『ワンダーランド大冒険』が第六回飛龍沼（ビリョンソ）ブルーフィクション賞を受賞し、小説家デビュー。
二〇一四年、二作目の長編小説『アルジュマンド・ビューティーサロン』を出版。
二〇一七年、三作目の長編小説となる本作で第五回秀林（スリム）文学賞を受賞。
二〇一九年、短編小説集『少女のためのフェミニズム』（共著）を発表。

〔訳者〕
岡　裕美（おかひろみ／OKA Hiromi）
同志社大学文学部卒業、延世大学校国語国文学科修士課程卒業。
二〇一二年、キム・スム「誰も戻って来ない夜」で第十一回韓国文学翻訳新人賞を受賞。
訳書にキム・スム『ひとり』（三一書房）がある。

韓国文学セレクション
ギター・ブギー・シャッフル

2020年4月10日　初版第1刷発行©

著　者＝イ・ジン（李眞）
訳　者＝岡　裕美
発行所＝株式会社 新 泉 社
〒113-0033 東京都文京区本郷2-5-12
振替・00170-4-160936番　TEL 03 (3815) 1662　FAX 03 (3815) 1422
印刷・製本　萩原印刷

ISBN 978-4-7877-2022-1 C0097

韓国文学セレクション

夜は歌う

キム・ヨンス著　橋本智保訳　四六判上製／三一〇頁／定価二三〇〇円＋税／ISBN978-4-7877-2021-4

詩人尹東柱（ユンドンジュ）の生地としても知られる満州東部の「北間島（ブッカンド）」（現中国延辺朝鮮族自治州）。現代韓国を代表する作家キム・ヨンスが、満州国が建国された一九三〇年代の北間島を舞台に、愛と革命に引き裂かれ、国家・民族・イデオロギーに翻弄された若者たちの不条理な生と死を描いた長篇作。

韓国文学セレクション

舎弟たちの世界史

イ・ギホ著　小西直子訳　二〇二〇年刊行

一九八〇年、全斗煥が大統領に就任すると、大々的な「アカ狩り」が開始され、でっち上げによる逮捕も数多く発生した。そんな時代のなか、身に覚えのない国家保安法がらみの事件に巻き込まれてしまうタクシー運転手ナ・ボンマン。不条理な時代に翻弄される平凡な一市民の人生を描いた悲喜劇的な秀作。

目の眩んだ者たちの国家

キム・エラン、キム・ヨンス、パク・ミンギュ、ファン・ジョンウンほか著　矢島暁子訳

四六判上製／二五六頁／定価一九〇〇円＋税／ISBN978-4-7877-1809-9

傾いた船、降りられない乗客たち――。国家とは、人間とは、人間の言葉とは何か。現代韓国を代表する気鋭の小説家、詩人、思想家たちが、セウォル号の惨事で露わになった「社会の傾き」を前に、内省的に思索を重ね、静かに言葉を紡ぎ出した評論エッセイ集。